Y Ddresel Gymreig

a chypyrddau perthynol

The Welsh Dresser

and associated cupboards

Y Ddresel Gymreig

a chypyrddau perthynol

The Welsh Dresser

and associated cupboards

T. ALUN DAVIES

T. ALUN DAVIES

GWASG PRIFYSGOL CYMRU
AMGUEDDFA GENEDLAETHOL CYMRU
CAERDYDD, 1991

UNIVERSITY OF WALES PRESS
NATIONAL MUSEUM OF WALES
CARDIFF, 1991

Cyhoeddwyd gyntaf 1991

Manylion Catalogio Cyhoeddi'r Llyfrgell Brydeinig

Mae cofnod catalogio'r llyfr hwn ar gael gan y Llyfrgell Brydeinig

ISBN 0-7083-1139-3

Clawr blaen: dresel o Fro Morgannwg a welir yng nghegin ffermdy Llwyn-yr-eos, Amgueddfa Werin Cymru

Clawr cefn: dresel o sir Gaernarfon a welir ym mwthyn Llainfadyn, Amgueddfa Werin Cymru

First published in 1991

British Library Cataloguing in Publication Data

A catalogue record for this book is available from the British Library.

ISBN 0-7083-1139-3

Front cover: a Vale of Glamorgan dresser at Llwyn-yr-eos farmhouse, Welsh Folk Museum

Rear cover: a dresser from Caernarfonshire, now at Llainfadyn cottage, Welsh Folk Museum

Ffotograffau'r clawr: Harry Williams

Cynllun clawr: Pica, Caerdydd

Cysodi: Afal, Caerdydd

Teip: Baskerville 10/11pt

Argraffwyd yng Nghymru gan Qualitex, Caerdydd

Cover photographs: Harry Williams

Cover design: Pica, Cardiff

Typesetting: Afal, Cardiff

Type: Baskerville 10/11pt

Printed in Wales by Qualitex, Cardiff

Rhagair

Prif amcan y llyfryn hwn yw bod yn gyflwyniad i astudiaeth o'r ddresel Gymreig a'r darnau dodrefn hynny sy'n perthyn yn agos iddi, sef y cwpwrdd byr, y cwpwrdd deuddarn a'r cwpwrdd tridarn. O'r holl ddarnau a gynhyrchwyd yng Nghymru dros gyfnod o dri chan mlynedd a mwy dichon mai'r teulu hwn a enillodd fri ac enwogrwydd am arddangos gwaith y crefftwr gwledig o Gymro ar ei orau. Goroesodd nifer fawr ohonynt yng nghartrefi Cymru, casglwyd nifer i amgueddfeydd cenedlaethol a lleol ein gwlad a bu bri arbennig ar eu casglu a'u hastudio gan gasglwyr o bob math yn ystod degawdau ail hanner y ganrif hon. Amlhawyd enghreifftiau rhanbarthol a lleol a thasg sydd y tu allan i gwmpawd y llyfryn hwn fydd didoli'r holl ddeunydd materol a fodola yng Nghymru heddiw i roi darlun cyflawn o holl gelfi'r genedl Gymreig. Gobeithir y bydd y llyfryn hwn yn darparu canllawiau i astudio ffurfiau, teipiau a chrefftwaith y ddresel a'r cypyrddau ymhellach ac yn datguddio rhai straeon am rai a fodolodd ond a aeth yn anghof gan bobl Cymru. Daw mwyafrif yr enghreifftiau a welir o gasgliad helaeth a chynhwysfawr Amgueddfa Werin Cymru, Sain Ffagan. Bu cyfeillion o bob cwr o Gymru yn barod iawn i roi caniatâd i dynnu lluniau o'u dodrefn hwythau ac mae'n dyled yn fawr iddynt. Defnyddiwyd amryw o'r lluniau a chedwir y gweddill yn archif luniau Amgueddfa Werin Cymru.

Preface

This booklet is intended to serve as an introduction to the study of the Welsh dresser and its associated pieces, the court cupboard, the *cwpwrdd deuddarn* and the *cwpwrdd tridarn.* Of all the furniture produced in Wales over a period of over three hundred years it can be claimed that it is this family of pieces that gained a reputation for the Welsh craftsman as a maker of fine country furniture. A great number have survived in Welsh homes, a good number have been collected by national and local museums and their study has been in vogue by collectors from all walks of life during the second half of the present century. A good number of regional types exist in Wales and it is not within the ambit of this booklet to attempt to categorize each type according to region or place of origin but to attempt to present an overall picture of these most famous of Welsh pieces. It is hoped that it will serve as a guide to the further, more detailed study of types and craftmanship and that it will jog memories about items that have long since disappeared. The majority of the pieces discussed form part of the Welsh Folk Museum's large collection of furniture. Friends throughout Wales have been extremely kind in allowing photographs to be taken of their possessions and we are greatly indebted to them. Photographs that are not used in this booklet will be placed in the Welsh Folk Museum's archive.

Cefndir Hanesyddol

Er mai fel dodrefnyn a ddaeth i fri ymhlith gwladwyr Cymru, boed amaethwyr, tyddynwyr, gweision fferm neu lowyr yr adwaenir y ddresel gellir olrhain ei llinach, fel cynifer o ddarnau gwledig eraill Cymru yn ôl i lys a phlasty'r uchelwr. Benthyciad o'r Saesneg *dresser* ydyw'r gair dresel a cheir y cyfeiriad cyntaf ato gan Dwm o'r Nant ym 1780. Seld yw'r enw arni mewn rhai rhannau o dde Cymru. Darnau a etifeddwyd gyda threigl y canrifoedd oedd y ddresel a'i pherthnasau, ac maent yn ddarnau a addaswyd i ateb gofynion dosbarthiadau o bobl oedd yn ddistadlach eu statws na'r rhai a gyflwynodd y dodrefnyn i'r wlad yn gyntaf oll.

Yn y neuadd ganoloesol y ddresel oedd y prif ddarn, yn ganolbwynt holl weithgareddau'r ystafell ac arni y gosodwyd mewn trefn y ffiolau, y cwpanau a'r platiau yn rhesi 'y mwyaf yn gyntaf, y ceinaf yn y canol a'r ysgafnaf y tu blaen', chwedl Ralph Edwards a Percy McQuoid yn *The Dictionary of English Furniture.* Rhestl neu ddarn i arddangos llestri arni felly oedd rhan o'r ddresel, a honno ynghlwm wrth fur yng nghyfnod y Tuduriaid a'r Stiwardiaid sef o tua 1485 hyd 1640. Ond yr oedd i'r 'dressoir' swyddogaeth arall yn ogystal chwedl Randle Cotgrave yn ei *Dictionary* ym 1611 a'i diffinia fel 'a cupboard, a court cupboard only to set plate upon'.

Darnau gwastad o bren, dan restl i ddangos cwpanau a phlatiau oedd y rhain ac anodd y tu hwnt ydyw i haneswyr wahaniaethu rhwng disgrifiad o ddresel fel y cyfryw a chwpwrdd byr ar y llaw arall gan mai'r un math o swyddogaeth a oedd i'r ddau. Yn ddi-os, rhoddwyd i'r darn barch arbennig yn ystod y canoloesoedd ac yn arbennig yn oes y Tuduriaid o tua 1500 i 1603. Dim ond gweision a bennwyd i drin y llestri a osodwyd ar y darn a ganiatawyd i fynd ar gyfyl dreselau neu gypyrddau neuadd llysoedd y brenin a'i arglwyddi ar ddechrau'r unfed ganrif ar bymtheg, ac mewn aml i dŷ gosodwyd rhagfur isel, neu bared rhwng y brif neuadd a'r ddresel a'i chyfoeth o blatiau arian a ffeutur. Prin na ellid honni i'r darn gael ei hystyried fel

Historical Background

It was as a piece of furniture that became popular in the homes of farmers, smallholders, artisans and workers of Wales that the dresser became famous, but its origins, like a number of other fine Welsh country pieces can be traced back to the courts of kings and the mansions of noblemen. The dresser and its associated pieces were items that were passed down over a number of centuries from one class to another and adapted to suit the needs of humbler folk than those who first introduced it into Britain.

In the medieval hall the dresser occupied a position of pre-eminence and all the activities of that room were centred around it. On it were placed in order the flagons, cups and plates in rows 'the largest firste, the richest in the myddis, the lightest before' as mentioned in Edwards and McQuoid's *Dictionary of English Furniture.* During the Tudor and Stuart periods from about 1485 to about 1640, the 'dresser' was primarily a rack on which plates could be displayed and more often than not it was secured to a wall. But the 'dressoir' served another function according to Randle Cotgrave in his *Dictionary* of 1611, where he writes of it as 'a cupboard, a court cupboard only to set plate upon' and states that it can best be described as two planks or boards to display cups and plates.

It is no wonder that historians have found it difficult to differentiate between descriptions of a dresser and a court cupboard because both served a similar purpose. Without a doubt, both were greatly prized pieces during the Middle Ages and the Tudor period from about 1500 to 1603 in particular. The only servants who were allowed near the dresser in the court of the king or nobleman were servants specially designated to handle the plate. Indeed, at the beginning of the sixteenth century the dresser was placed behind a low partition in the main hall; no doubt this was intended to deter thieving or pilfering of the silver and pewter plate that was displayed upon it. It would be no exaggeration to assert that the dresser was regarded with the same

math ar allor mewn amryw neuadd fonheddig ym Mhrydain a'r rheiny'n disgleirio fel allorau dan gyfoeth a lliw'r platiau a oedd arnynt. Yr oedd Prydain yn drwm dan ddylanwad ffasiynau cyfandir Ewrop yn ystod cyfnod cynnar y Tuduriaid hyd tua 1510 ac yr oedd y derw trwm a ddefnyddid yn rhoi'r argraff fod y ddau ddarn boed fwrdd isel neu restl yn rhan gynhenid o'r neuadd gyda'i phanelau wenscot o dderw tywyll.

Prin iawn yw'r cyfeiriadau at y gair *dressoir,* dresel neu unrhyw amrywiaeth arno yn ewyllysiau na rhestrau eiddo cyfnodau'r Tuduriaid a'r Stiwardiaid. Yn wir, ni ddaethpwyd o hyd i unrhyw sôn am ddyfalu'r fath ddarn ym marddoniaeth Beirdd yr Uchelwyr ychwaith er bod ambell i gyfeiriad yno at almari neu gwpwrdd. Digwydd y gair *cupboard* yn gyffredin mewn ewyllysiau a rhestrau eiddo yn ystod yr unfed ganrif ar bymtheg a'r ail ganrif ar bymtheg ond prin yw'r disgrifiadau ohonynt a bwrw amcan a wneir am eu swyddogaeth a barnu yn ôl eu lleoliad yn y tŷ.

Mewn rhestr o gynnwys mynachlog y Brodyr Llwydion yng Nghaerfyrddin ym 1539 ceir *cubborde* yn ystafell y brenin, ac *an old cubborde* yn yr ystafell ger drws y parlwr. Gellir bwrw amcan fod i'r rhain y swyddogaethau o arddangos llestri a chadw'r bwyd. Yr un darlun a welir mewn rhestr o eiddo Edward Jones, Plas Cadwgan, Clwyd tua 1586. Yn y neuadd ceir *standing cupboard of wenscot,* yn y parlwr mawr ar ben gogleddol y neuadd ceir *court cupboard* ac yn yr ystafell drws nesaf gwpwrdd cyffelyb o *maple.* Yn y Siambr Fawr i fyny'r grisiau ceir yr un darn ac un arall yn y siambr ddrws nesaf iddi. Ceir pumed enghraifft a elwir yn *cupboard* yn ystafell wely Edward Jones ei hun a gellir barnu'n bur hyderus wrth eu lle yn y tŷ mai cyfuniadau yw'r darnau hyn o'r math a lunnid i arddangos llestri neu i gadw bwyd.

Ceir cyfeiriadau yn rhestrau eiddo uchelwyr yr hen sir Drefaldwyn at y darn *cupboard.* Yn ewyllys Dafydd ap Thomas o Uppington 1603 ceir *cupboard* yn y parlwr, ac ym 1607 cyfeirir at *cupboards* yn ewyllys Hugh Jones, Trewithen. Ar ganol y ganrif yn ewyllys Robert Evans o Ffordun ceir eto sôn am y fath ddarn heb ymhelaethu am ei swyddogaeth na'i lun. Ceir rhyw lun ar ddiffiniad o'r darn yn ewyllys James Stedman o Ystrad Fflur yng Ngheredigion pan enwir *livery cupboards* a *cubards* yn

reverence as an altar in many halls in Britain with the plates shining upon it reminiscent of a church or high place. During the early years of the Tudor dynasty Britain was under the influence of the fashions of Europe, and the heavy oak that was in vogue gave the impression that the side table with its rack above was actually built into the dark, heavy wainscot of the hall.

References to the term *dressoir* or dresser are extremely rare in wills and inventories of the Tudor and Stuart periods and despite the occasional reference to an almari or a cupboard in the poetry of the poets of the noblemen in Wales no references to the term dresser have been found. The term cupboard appears regularly in wills and inventories of the sixteenth and seventeenth centuries but detailed descriptions of their function are extremely rare, and one must attempt to determine their function according to their location in the house.

In an inventory of the possessions of the Grey Friars at Carmarthen in 1539, it may be noted that the King's Chamber contained a 'cubborde' and that a room near the parlour door contained an 'old cubborde'. It is probable that these pieces served the dual function of holding food and displaying plates. In an inventory of 1586 of the contents of Plas Cadwgan, Clwyd, the home of Edward Jones a 'standing cupboard of wenscot' is listed in the hall, a 'court cupboard' in the large parlour at the north end of the hall, and in the room next door a similar piece in maple. The Great Chamber upstairs contains a similar piece as does the chamber next door to it. A fifth piece bearing the name cupboard appears in Edward Jones's own room and from their location in the house one can assume that some of these pieces performed the dual role of storing food and displaying plates.

The *Montgomeryshire Collections* are a rich source of information concerning wills and inventories of certain mid-Wales families during the seventeenth century. Again, the reference is confined to the word cupboard without a definition or a description. A cupboard appears in the will of Dafydd ap Thomas of Uppington in 1603. In this instance it is located in the parlour and in 1607 the will of Hugh Jones of Trewithen contains references to cupboards. The mid seventeenth-century will of Robert Evans of Forden contains a further bland reference to a cupboard whilst some form of a

rhestr ei eiddo ym 1617 ond ni ymhelaethir ar y disgrifiad.

Yn rhestr eiddo William Herbert o White Friars, Caerdydd a ddyddiwyd Ionawr 1696, un cyfeiriad yn unig a geir at *cupboard,* ymhlith y llu o ddarnau a restrir, er bod llawer iawn o lestri yn y tŷ yng Ngabalfa. Yn yr un flwyddyn *1 cupboard* a gafwyd yn neuadd Hengwrt ym Meirionnydd a restrwyd yn rhestr eiddo Hugh Vaughan ar 28 Ebrill y flwyddyn honno. Lleolir y cwpwrdd yn y neuadd a gellid cymryd mai arddangos platiau oedd ei swyddogaeth.

O'r trawsdoriad bychan hwn gwelir amlder y cyfeiriadau at y cwpwrdd a ddaliai lestri ac a ddaeth yn ddiweddarach i gadw bwyd yn ogystal, brawd pur agos i'r ddresel gynnar ond nas unwyd mewn ffurf â'r darn hwnnw ym mhlasau'r uchelwyr. Mewn dosbarth distadlach a llai cefnog y gwelwyd bod tipyn o dir cyffredin rhwng y ddau mewn cyfnodau o'r ail ganrif ar bymtheg ymlaen. Yn wyneb hynny, buddiol fydd edrych ar ddatblygiad y darnau ar wahân ond eto ochr yn ochr fel petai.

description of the piece occurs in the will of James Stedman of Strata Florida in Ceredigion in 1617 when a livery cupboard and 'cubards' are listed.

In January 1696 the inventory of William Herbert of White Friars Cardiff has long and detailed descriptions of this man's considerable wealth in possessions at Gabalfa and elsewhere, but it contains only one reference to a cupboard despite the existence of a large number of plates in the houses. In the same year only one cupboard is mentioned in the inventory of Hugh Vaughan of Hengwrt, Merioneth, on 28 April in that year. This is located in the hall and one assumes that it was used to display plates.

From the random cross-section noted above, it can be seen that the piece of furniture that displayed plate and was later adapted to house comestibles as well was in use on a wide scale in the mansions of the Welsh gentry. It was in a materially poorer section of society that full use was made of the uniting of styles of two independent pieces from the seventeenth century onwards. It would be beneficial, therefore, to trace the development of those pieces side by side but independently of each other.

Y 'Cupboard' a'i Ddisgynyddion

Yn ddi-os fe ddatblygodd y *cupboard* i ateb dau ddiben arbennig, sef cadw ac arddangos cwpanau. Fel y soniwyd eisioes, gosodwyd y cwpwrdd dan y rhestl a ddaliai'r platiau yn neuadd yr uchelwyr. Darnau pur syml eu gwneuthuriad oedd y cypyrddau hyn er i amryw gael eu caboli gan grefftwyr y dydd gyda cherfiadau ac addurn gosod yn eu haddurno. Y mae'r darn a welir ym **Mhlât 1** yn nodweddiadol o'r *cup-board* Elisabethaidd, gyda thair astell wedi'u huno â'i gilydd gan bileri turniedig yn drwm dan ddylanwad y Cyfandir, gydag estyll syml yn erbyn y mur. Gosodwyd droriau rhwng yr estyll, ac arnynt cerfiwyd dreigiau a gadrwnau. O'r Coed Duon yng Ngwent y daeth y darn hwn er na wyddys yn union ymhle y lluniwyd ef. Tipyn symlach yw'r darn derw a welir ym **Mhlât 2,** eto, tair

1. *Cwpwrdd byr o'r Coed Duon, Gwent, tua 1580.*

The Cupboard and its Descendants

We have seen that the cupboard evolved to perform the two functions of holding and displaying cups and plates. Cupboards were placed beneath the plate racks in halls so that they assumed the appearance of one piece. These boards were relatively simple pieces but a number were decorated with carvings and inlay. The piece in **Plate 1** is typical of an Elizabethan 'cup-board', comprised of three boards joined together by turned uprights and in this example heavily under the influence of continental design and fashion. Drawers have been placed under the boards, one carved with dragon motifs the other gadrooned. It comes from Blackwood in Gwent although its precise origin is unknown. The piece in **Plate 2** is much simpler and again consists of three horizontal boards joined together

1. *Court cupboard from Blackwood, Gwent, about 1580.*

2. *Cwpwrdd byr o Dŷ Tredegar, Gwent, dechrau'r ail ganrif ar bymtheg.*

2. *Court cupboard from Tredegar House, Gwent, early seventeenth century.*

bord neu astell o bren wedi'u gosod at ei gilydd i lunio darn i osod cwpanau arno. Yn hwn, a berthynai i deulu Morgan, Tŷ Tredegar, Casnewydd, turniwyd cynheiliaid yn syml a bwâu ac addurn llinellog yn unig a welir ar y darnau cefn a'r estyll eu hunain. O ychwanegu cefn, ochrau panelog a drysau at y sgerbwd hwn fe luniwyd o'r *cupboard* ddarn tebyg i'r *pot board* a welid yn y neuadd ganoloesol. Daeth y darn hwn yn ddodrefnyn i gadw bwyd yn hytrach nag arddangos llestri, ac fel hyn y datblygodd yng Nghymru.

Cypyrddau byrion oedd y *court cupboards* hyn y soniwyd amdanynt yn y rhestrau eiddo uchod. Nid yw'r gair *court* yn ernes o wychder llinach y darn er iddo darddu o'r plasty canoloesol. Dynoda yn hytrach ei fyrder gan mai addasiad o'r gair Ffrangeg am 'byr' *court* ydyw. Priodol felly yw'r term bath, cwpwrdd byr, amdano yng Nghymru ac o'i gymharu â'r mathau uchel o gypyrddau a dreselau a'i dilynodd un bychan ydyw. Ceir enghraifft ym **Mhlât 3** o'r math hwn, darn a luniwyd yng nghyffiniau Tregynon yn yr hen sir

by turned uprights. The work of an estate craftsman it was made for the Morgan family of Tredegar House in Gwent towards the beginning of the seventeenth century. The turned pillars are plain with carved arcaded scrolls and are the only attempts to decorate this country piece. The addition of a back, panelled sides and cupboard doors to this skeletal piece saw the evolution of a piece that resembled the pot board of the medieval hall. This enclosed piece was used primarily for storing food rather than displaying plate of any description and it was along these lines that it developed in Wales.

The court cupboards were literally short cupboards and despite their inclusion in the inventories of noblemen the word court does not refer to their place of origin but rather their height, being a corruption of the French word 'court'. It was especially appropriate in Wales since the pieces that were evolved from it were tall or high by comparison. An enclosed court cupboard is to be seen in **Plate 3.** This is a one-piece court cupboard

3. *Cwpwrdd byr o Dregynon, Powys, tua 1630.*

3. *Court cupboard from Tregynon, Powys, about 1630.*

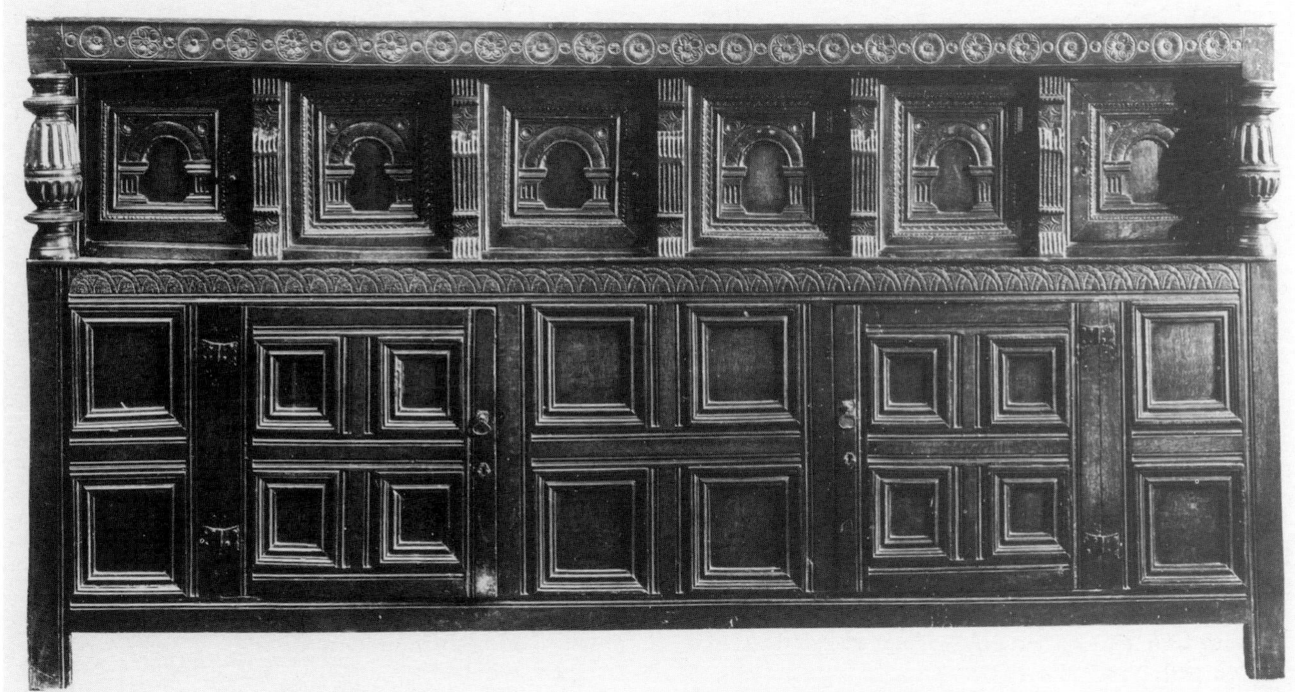

4. *Cwpwrdd byr a fu yng Ngholeg Iesu, Rhydychen. Tybir ei lunio yn ardal Harlech tua 1600.*

4. *A court cupboard from Jesus College, Oxford, believed to have been made in the Harlech region about 1600.*

5. *Cwpwrdd deuddarn o Glwyd, canol yr ail ganrif ar bymtheg.*

5. *A* cwpwrdd deuddarn *from Clwyd, mid seventeenth century.*

6. *Cwpwrdd deuddarn o ganolbarth Cymru, tua 1750. (Gweler t. 13.)*

6. *A* cwpwrdd deuddarn *from mid Wales, about 1750. (See p. 13.)*

Drefaldwyn i gadw bwyd isod a llestri uchod. Pwysleisir yma mai cwpwrdd byr un darn yw hwn ac mae'r addurn pensaernïol arno yn gwbwl nodweddiadol o sir ei wneuthuriad a siroedd Lloegr gyfagos. Cymharer cynheiliaid y darn uchaf â'r cwpwrdd o Dŷ Tredegar (**Plât 2**) wrth i'r ffurf ddatblygu ar ddechrau'r 1630au. Pensaernïol yw'r addurn a welir ar gwpwrdd o'r un anian a luniwyd ryw chwarter canrif ynghynt ar gyfer neuadd uchelwr ond a dreuliodd o leiaf ddwy ganrif yng Ngholeg Iesu, Rhydychen cyn dychwelyd i Gymru (**Plât 4**). Ceir peth tystiolaeth, er mai annigonol yw'r ffynhonnell, mai o ardal Harlech y daeth yn wreiddiol. Yn sicr, mae'r derw tywyll yn gydnaws â'r deunydd crai

from Tregynon in the old Montgomeryshire, designed to keep food below and to display dishes above. It displays many of the characteristics of its county of origin and the neighbouring English marcher counties in its architectural carved decoration. The balusters or turned supports may be compared with the Tredegar House example (**Plate 2**) as the piece developed during the early 1630s. A one-piece cupboard which is again carved with architectural features may be seen in **Plate 4.** It was made during the first decade of the seventeenth century and formed part of the furnishings of Jesus College Oxford before its removal to Wales during the 1930s. Some sketchy evidence suggests that it originated in the

a welwyd yn yr ardal honno ar droad yr ail ganrif ar bymtheg. Cwpwrdd byr un darn yw hwn eto gyda'r addurn arno yn adlais o oes y Tuduriaid ac fe'i hystyrir yn frenin ymhlith cypyrddau byrion pa un ai Cymreig neu Seisnig yw ei darddiad. I uchelwr y lluniwyd y pendefig o gwpwrdd hwn ac i'r dosbarth hwnnw mewn cymdeithas y cyflwynwyd y darn a ddatblygodd ohono, y cwpwrdd deuddarn y dywed Dr Iorwerth Peate iddo fod mor boblogaidd nes cael enw arbennig yng Nghymru.

Yn sicr, dyma ddarn a ddaeth yn nodweddiadol o'r wlad a darn a barhaodd yn boblogaidd am dair canrif o

Harlech district of Merioneth and, indeed, its dark appearance is in keeping with the oak pieces produced in that part of the country. It hearkens back to the decoration of the earlier Tudor period and is regarded as one of the finest one-piece cupboards of its kind to have survived in Britain. It was obviously made for a nobleman with the means to dictate his tastes to the maker.

The piece that evolved from the one-piece court cupboard was also introduced to the nobility during the late sixteenth century and became so popular that it was given a Welsh name, the *cwpwrdd deuddarn,* a two-piece

leiaf. Yn ei hanfod mae iddo ddau ddarn hirgul, un yn ffitio i mewn i'r llall a bwrir amcan mai i hwyluso'i gludo i dŷ ac o fan i fan y tu mewn i dŷ y lluniwyd ef yn ddau ddarn yn hytrach na'r cwpwrdd byr yr hanodd ohono. Sylwer bod yr enghraifft amrwd o dderw a welir ym **Mhlât 5** yn dipyn talach na'r cwpwrdd byr a bod mwy o le ynddo i gadw bwyd yn y rhan waelod, gyda llestri a ffiolau yn y rhan uchod. Syml a di-addurn ydyw a dyddia o ganol yr ail ganrif ar bymtheg ond parhaodd y teip neu'r math yn boblogaidd tan ddiwedd y bedwaredd ganrif ar bymtheg trwy Gymru benbaladr, gan adlewyrchu chwaeth a medr y perchennog a'r crefftwr yn ddi-fwlch drwy'r canrifoedd hynny. Perthyn y cwpwrdd deuddarn o dderw tywyll ei liw a ddyluniwyd ym **Mhlât 6** i ganol y ddeunawfed ganrif a daw o ganolbarth Cymru yn wreiddiol. Sylwer bod tipyn mwy o ôl caboli arno na'r un a welwyd eisoes ym **Mhlât 5** gyda phanelau yn y cypyrddau isaf, rhes o ddroriau wedi'u hychwanegu at yr un darn a drysau'r cypyrddau yn y darn uchod yn adlewyrchu ffasiwn a chwaeth y cyfnod. Disodlwyd y pileri solet turniedig a dystiai i'w linach o'r *cup-board* ond cadwyd peth o'r turnwaith yn y ddau ddarn bychan sydd o bobtu i'r ffris. Erbyn diwedd y ddeunawfed ganrif gwelwn ddatblygiad pellach mewn ardal arall. Gwyddys am ryw saith enghraifft debyg i'r un o Ddyffryn Teifi (**Plât 7**) a luniwyd o dderw goleuach ac sydd yn banelau drosto, oll ar ffurf croes ac eithrio'r rhai a wahana'r ddau ddrws cwpwrdd isod. Mae'r teulu hwn o ddarnau yn brawf o fedr y crefftwr Cymreig i ail-lunio ar linellau tebyg ond gyda phwyslais gwahanol i ateb dibenion cyfnod, ardal a chwaeth y cwsmer. I'r un ardal ac i'r un cyfnod y perthyn y cwpwrdd deuddarn bychan (**Plât 8**) a luniwyd i'w ddefnyddio mewn bwthyn bychan. Yr oedd y cwpwrdd deuddarn yn ddefnyddiol ac yn hardd ac ni wyddai am derfynau dosbarth ac o'r herwydd lledodd i bob dosbarth a phob rhan o'r wlad. Mae'r darn a welir ym **Mhlât 9** yn debyg iawn i'r ddau o Ddyffryn Teifi ond o ardal Llanbryn-mair ym Mhowys y daw ac mae'n uno'r mathau a welwyd yn ystod ail hanner y ganrif, megis.

Gellir dyfalu cryn dipyn am y cam nesaf yn natblygiad y dodrefnyn hwn gan nad oes unrhyw wybodaeth ar glawr am yr union reswm y datblygodd fel ag y gwnaeth. Yn siroedd gogledd Cymru yn ystod

cupboard. It certainly was a popular piece and retained its popularity for at least three and a half centuries. It consists of two rectangular portions, one resting on the other and was divided thus for ease of entry into houses or for ease of transportation within a house or building. Note the primitive oak piece that developed from the court cupboard (**Plate 5**) and note that it is considerably taller than its predecessor with more room to store food in the lower section and plates and utensils in the upper portion. This is a particularly plain piece which dates from the mid seventeenth century but it is a type which persisted until the end of the nineteenth century in certain Welsh regions, reflecting in its evolution and development the taste of the owner and the skill of the craftsman. The *cwpwrdd deuddarn* in **Plate 6** was constructed during the mid eighteenth century. It comes from mid Wales and it is worth comparing this with the *cwpwrdd deuddarn* of the previous century. In this piece we see considerable progress in the art of decoration with drawers added, the lower cupboard doors panelled and the panelled upper cupboards displaying the contemporary fashion. The supporting pillars in the upper portion have disappeared but lip-service is paid to their existence in the form of two small turned bobbins. By the end of the eighteenth century a similar cupboard from the Vale of Teifi (**Plate 7**) displays further evolution and development in construction and decoration. Some seven examples of this type of cupboard have been traced in south Ceredigion. They all contain a row of drawers, turned bobbins, a central shaped panel below and the cross-shaped panels on all doors that feature prominently in this region. A smaller version of the same type of cupboard of similar date and from the same region is seen in **Plate 8,** a piece obviously designed for a cottage. Note again the cross-shaped panel arrangement, typical of south Ceredigion but not peculiar to the region as the contemporary example in **Plate 9** shows. This piece originated in the Llanbryn-mair district of south Montgomeryshire and displays most of the characteristics of its more southern neighbour with the exception of a few decorative features. This handful of pieces bears out Dr Iorwerth Peate's remarks in *Apollo* xxiv, 1936, p.217 that the *cwpwrdd deuddarn* became a firm favourite in Wales and its attractiveness and usefulness combined to make it a

7. *Cwpwrdd deuddarn o Ddyffryn Teifi, diwedd y ddeunawfed ganrif.*

7. *A* cwpwrdd deuddarn *from the Vale of Teifi, late eighteenth century.*

8. *Cwpwrdd deuddarn bychan o Dde Ceredigion, diwedd y ddeunawfed ganrif.*

8. *A small* cwpwrdd deuddarn *from south Ceredigion, late eighteenth century.*

9. *Cwpwrdd deuddarn o Bont-dolgadfan, Llanbryn-mair, Powys, diwedd y ddeunawfed ganrif.*

9. *A* cwpwrdd deuddarn *from Bont-dolgadfan, Llanbryn-mair, Powys, late eighteenth century.*

ail hanner yr ail ganrif ar bymtheg ychwanegwyd trydedd ran at y cwpwrdd deuddarn gwreiddiol i lunio oriel i ddangos platiau neu lestri eraill. Yr oedd i'r oriel hon yr un defnydd â'r rhestl neu'r *rack* ganoloesol sef i arddangos a dwyn sylw at eiddo yn ogystal â'i gadw'n

most desirable piece over the long period during which it was made.

There has been much speculation about the development of the next piece in the evolution of the court cupboard. No written records have survived to throw light on the reason for the expansion of the two-piece cupboard to form a three-piece cupboard or a *cwpwrdd tridarn.* This became popular in the counties of north Wales during the second half of the seventeenth century, with the addition of the third portion or rack to the existing two affording more space for the display of

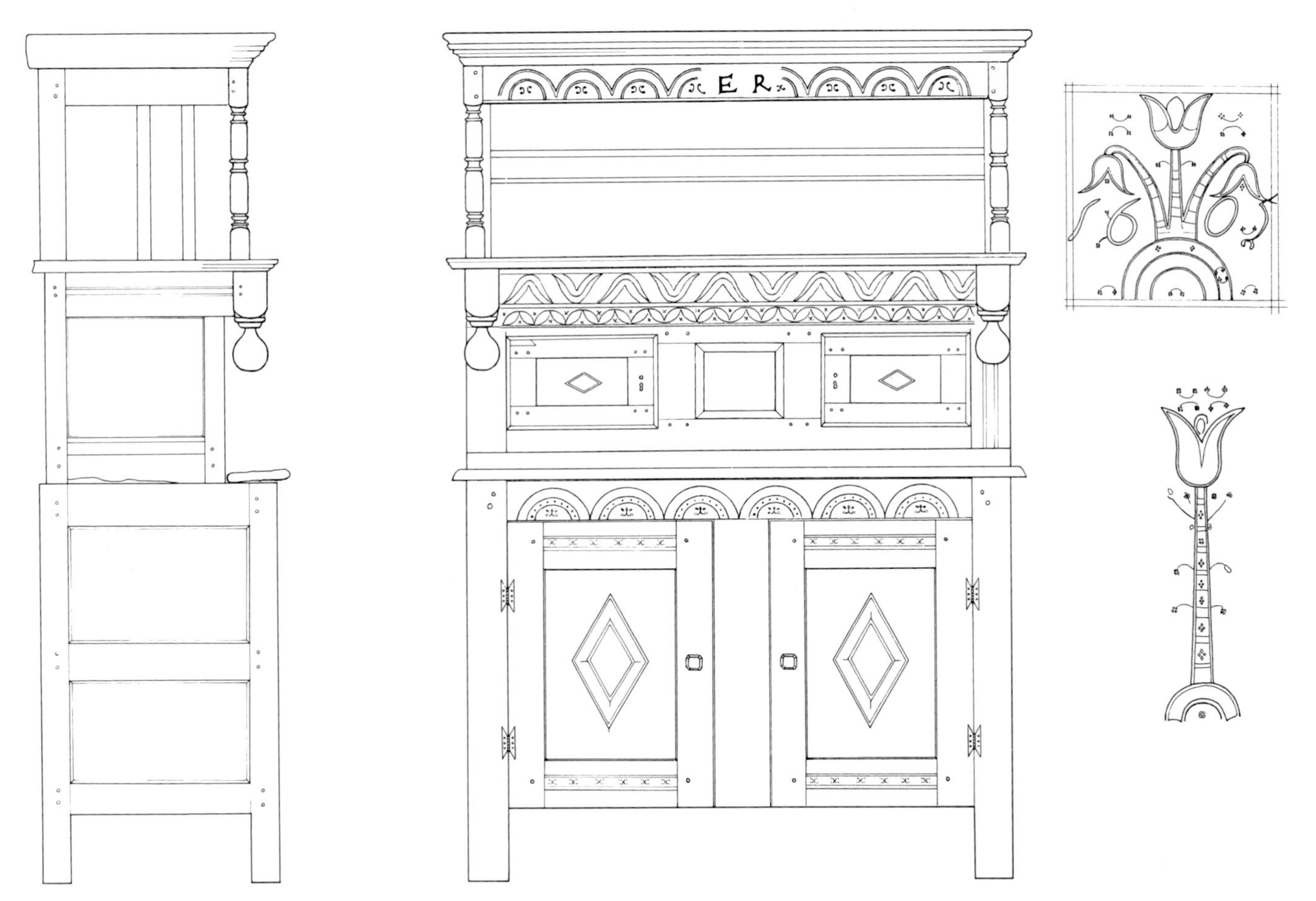

10. *Cwpwrdd tridarn o ardal Llandudno, Gwynedd ac arno'r dyddiad 1605.*

10. *A* cwpwrdd tridarn *from the Llandudno area, Gwynedd, which bears the date 1605.*

ddestlus. Fel yn y darnau cynharaf, gwnaed hyn uwchben cwpwrdd bwyd. Mewn plasau a ffermdai yn wreiddiol, llestri o ffeutur a arddangosid ar oriel y cwpwrdd tridarn ond yn ddiweddarach gwelwyd llestri amryliw Swydd Stafford yn ymddangos yn rhes liwgar arnynt gan roi harddwch i'r ystafelloedd tywyll a oleuid gan ganhwyllau brwyn, gwêr a bloneg.

Daeth y cwpwrdd tridarn yn ddarn cwbl nodweddiadol o siroedd gogledd Cymru a phrin iawn

plates and other utensils. This hearkens back to the medieval rack with the emphasis on the display of property as well as its storage and, as in earlier pieces, this occurred above a food cupboard. In both mansions and farmhouses and later in cottages, garnishes of pewter were displayed on this upper portion to be replaced later by colourful Staffordshire ware of blue and white and combinations of other colours, all

11. *Cwpwrdd tridarn o'r Fach Wen, Llanberis, Gwynedd, 1695.*

11. *A* cwpwrdd tridarn *from Fach Wen, Llanberis, Gwynedd, 1695.*

yw'r enghreifftiau a welir y tu allan i ffiniau Gwynedd, Clwyd a gogledd y Bowys bresennol. Amrywiai'r darnau'n fawr yn eu hansawdd a'u ffurf ond o ail hanner yr ail ganrif ar bymtheg daeth y tridarn yn ganolbwynt neuadd plas, parlwr neu gegin orau ffermdy neu ystafell orau bwthyn yn union fel y bu'r *dressoir* yn allor y neuadd ganoloesol.

Ym **Mhlât 10** gwelir un o'r darnau cynharaf y gwyddys amdano gyda soletrwydd yn nodweddu'r darn

providing a dash of colour to the dimly-lit rooms of rushlight and tallow candle days.

The *cwpwrdd tridarn* became a piece of furniture that was peculiar to north Wales and pieces found outside the regions of Gwynedd, Clwyd and the northern-most portion of the present county of Powys are very rare indeed. The pieces varied greatly in construction and decoration but from the 1660s onwards it became the centrepiece of a farmhouse living-room or a cottager's parlour in the same way that the dresser had been the altar-like centrepiece of the medieval hall.

The cupboard featured in **Plate 10** is one of the earliest known examples of the *cwpwrdd tridarn*. Its base

isaf a'r addurn pensaernïol yn dal yn amlwg ynddo fel yng nghypyrddau byrion hanner cyntaf y ganrif. Gwelir y dyddiad 1605 arno ynghyd â phriflythrennau enw'r perchennog E.R. rhwng bwâu ar yr oriel. Mae addurn gosod yn drwm dan ddylanwad ffasiwn y dydd i'w weld yn y blodyn ym mhanel canol y darn canol. Mae'n bur

is marked by solidity and the architectural decoration that featured on cupboards of the early years of the seventeenth century has been retained as one of its most prominent features. The date 1605 appears on the middle portion and the owner's initials E.R. between arcaded decoration on the rack or third portion. The

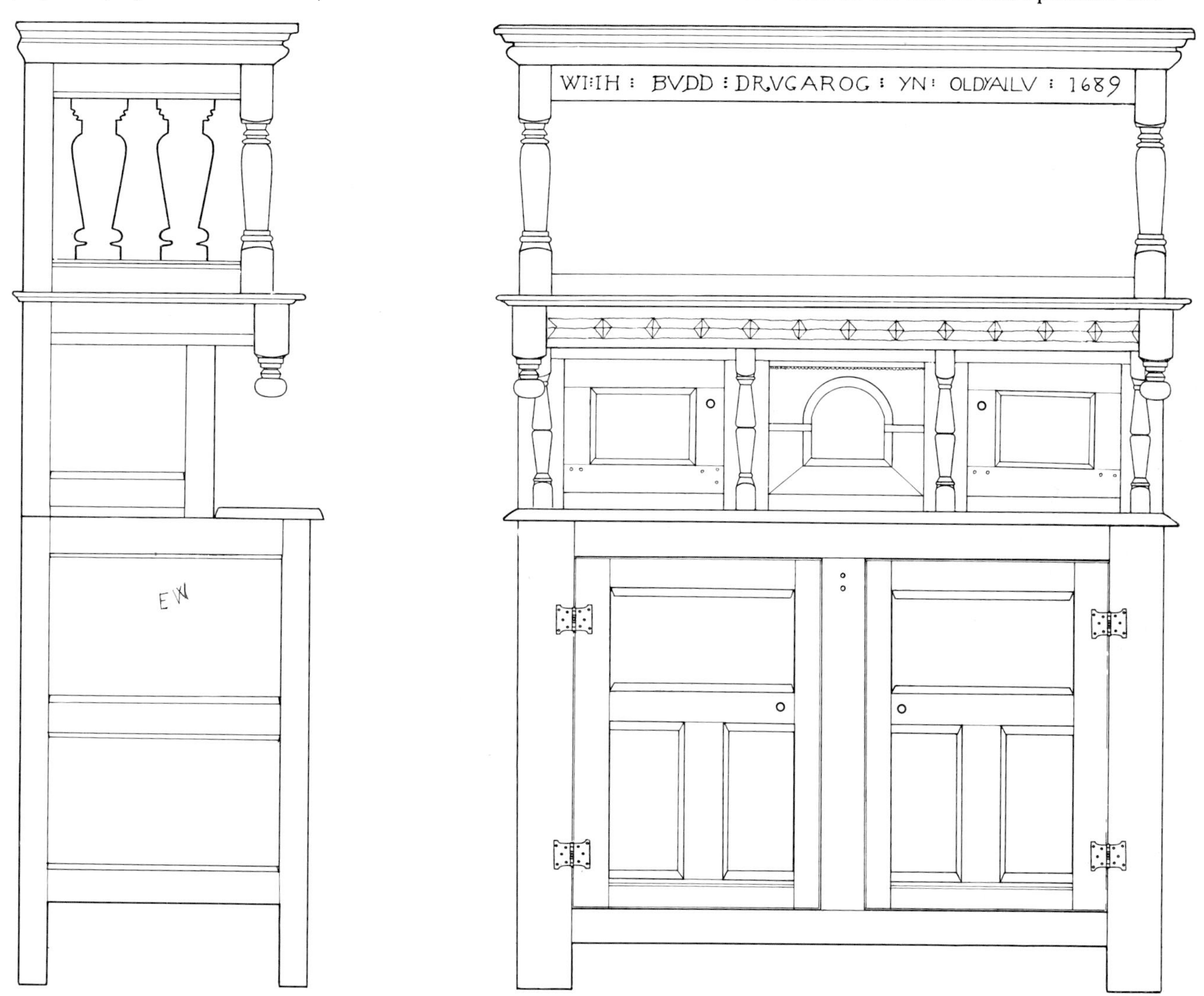

12. *Cwpwrdd tridarn o'r Foelas, Betws-y-coed, ac arno'r dyddiad 1689.*

12. *A* cwpwrdd tridarn *from Foelas, Betws-y-coed, which bears the date 1689.*

sicr i'r dyddiad gael ei ychwanegu'n ddiweddarach ac mai tua 1665 fyddai'r dyddiad cywir. Cabolwyd tipyn arno'n ddiweddarach ond mae'n wreiddiol. Mwy caboledig fyth yw'r addurn gosod ar y darn o'r Fach Wen ger Llanberis (**Plât 11**). O dderw y lluniwyd y fframwaith a'i addurno drwy dorri rhigolau yn y derw a gosod ynddynt ddarnau o gelyn a derw du, weithiau yn onglau a ffurfiau cymhleth. Dull o addurno a berffeithiwyd yn yr Eidal yw'r dull hwn ac fe'i cyflwynwyd i Brydain yn ystod blynyddoedd cynnar yr unfed ganrif ar bymtheg. Parhaodd mewn bri nes ei ddisodli yng nghanolfannau ffasiwn Prydain gan argaenu yn ystod ail hanner yr ail ganrif ar bymtheg, ond daliodd y crefftwr gwlad ceidwadol i addurno dodrefn ag addurn gosod hyd ail hanner y ddeunawfed ganrif gan gaboli ac arbenigo'r grefft honno. Ar y cwpwrdd tridarn hwn gwelir un arall o nodweddion deniadol y crefftwr gwlad, sef gosod priflythrennau enw perchennog neu bâr ifanc y lluniwyd y darn ar gyfer eu priodas. 1695 yw dyddiad gwneuthuriad y cwpwrdd hwn ac R ac G M oedd y rhai a briodwyd yn ystod y flwyddyn honno. Sylwer, yn ogystal, ar yr addurn Celtaidd a gerfiwyd ar y naill ochr i'r panel canol a ddug y wybodaeth am y dyddiad a'r perchnogion.

Gwelir addurn gosod ar y cwpwrdd tridarn bychan a welir ym **Mhlât 12.** Darn o'r Foelas, Betws-y-coed ydyw ac mae'n un o'r enghreifftiau lleiaf y gwyddys amdano. Sylwer ar yr arysgrif, y priflythrennau a'r dyddiad ar hwn eto ond ychwanegiad diweddarach at ddeuddarn dilys a ffris ddilys o tua 1689 yw'r oriel. Gyda threigl y blynyddoedd gwelwyd mwy a mwy o'r arfer hwn gyda'r cynnydd yn yr arfer o arddangos eiddo.

Tridarn di-addurn, solet o ddiwedd yr ail ganrif ar bymtheg eto yw'r darn hardd a welir ym **Mhlât 13.** Ychwanegwyd droriau at hwn, a adlewyrcha newid mewn moes ac arfer cymdeithas yn ystod y cyfnod. Bu'r canrifoedd yn arbennig o garedig wrth dderw'r cwpwrdd hwn ac y mae arno liw ardderchog.

Sylwyd uchod ar ddarnau a gynhyrchwyd at ddibenion arbennig, oll o dras lled uchel ond goroesodd llawer o rai amrwd a luniwyd oherwydd eu defnyddioldeb yn hytrach na'u golwg. Darn a ddefnyddid mewn ffermdy yn y canolbarth yw'r un a ddug y priflythrennau T.W. a'r dyddiad 1726 ar ei oriel

central door of the middle portion is inlaid with a flower that is typically 1660s in fashion and execution and whilst one believes that the date was added later and that 1665 would be more correct, it is an early piece. Inlay features even more prominently as a decoration on the *tridarn* from Fach Wen, near Llanberis (**Plate 11**). Pieces of holly and bog oak were placed in hollowed-out sections of the oak, creating chequer and other patterns. This form of inlay was perfected in Italy and introduced into the British centres of fashion during the early years of the sixteenth century. It remained popular as a form of decoration until its replacement by veneers and the introduction of marquetry and parquetry which further gilded the attractive original piece during the second half of the seventeenth century. Inlay, however, was retained by the country craftsmen of north Wales until at least the middle of the eighteenth century, a perfect example of the conservative country craftsman's retention of an original feature which nevertheless was greatly changed and adapted in his hands. Yet another feature of the country craftsman's function is displayed in this *cwpwrdd tridarn.* Pieces of oak furniture were often presented as gifts on the occasion of a marriage, the initials of the forenames and surname appearing in a prominent place on the piece. The date of the marriage, 1695 and the initials of the couple R and G and the surname M appear on the central panel of the middle portion, flanked by excellent examples of the retention of carved Celtic interlacing ornament in the two panels on either side.

The small *cwpwrdd tridarn* in **Plate 12** is similarly inlaid. It originated in Foelas, Betws-y-coed and is one of the smallest known examples of the piece. Again, initials and a date appear in this case on the frieze of the upper portion, but on closer examination it is quite obvious that the third portion is a later addition to an authentic *deuddarn* of late seventeenth-century date. The frieze is genuine and there is no doubt that most of the piece dates from 1689. The addition of a third portion to an existing *deuddarn* became increasingly popular as the need for display increased.

A solid unadorned *tridarn* of about 1700 is featured in **Plate 13.** Drawers were added to this piece, reflecting the change in household practice in this period. The

13. *Cwpwrdd tridarn o Wynedd tua 1700.*

13. *A* cwpwrdd tridarn *from Gwynedd about 1700*

14. *Cwpwrdd tridarn o ganolbarth Cymru ac arno'r dyddiad 1726.*

14. *A* cwpwrdd tridarn *from mid Wales bearing the date 1726.*

(**Plât 14**), er y bwrir amcan mai ychwanegiad yw'r oriel at ddeuddarn a luniwyd ymron i hanner canrif ynghynt. Enghraifft o addurno a newid ar ddarnau ar gyfer eu defnyddio ydyw hyn ac mae'n ychwanegu at werth y darn fel dogfen ddiddorol o hanes cyfnod. O'r un ardal y daw'r cwpwrdd tridarn a welir ym **Mhlât 15**, a ddug y priflythrennau A.T. a'r dyddiad 1702 ar ran ganol y tri darn. Mae ôl defnydd ar hwn ac ôl cadw bwyd yn ei ran isaf, sef y priod reswm dros fodolaeth y darn yn y lle cyntaf.

centuries have been exceedingly kind to this piece and have given it an outstanding patina.

The majority of *cypyrddau tridarn* featured above were made for special occasions or as centrepieces in the houses of those who could afford to be fashion conscious in a country area. It must also be stressed that the *tridarn* was a piece of furniture with an utilitarian purpose, namely the storage of food, and a good number of crude examples have also survived, more famous for their usefulness than their looks. The *tridarn* of dark oak

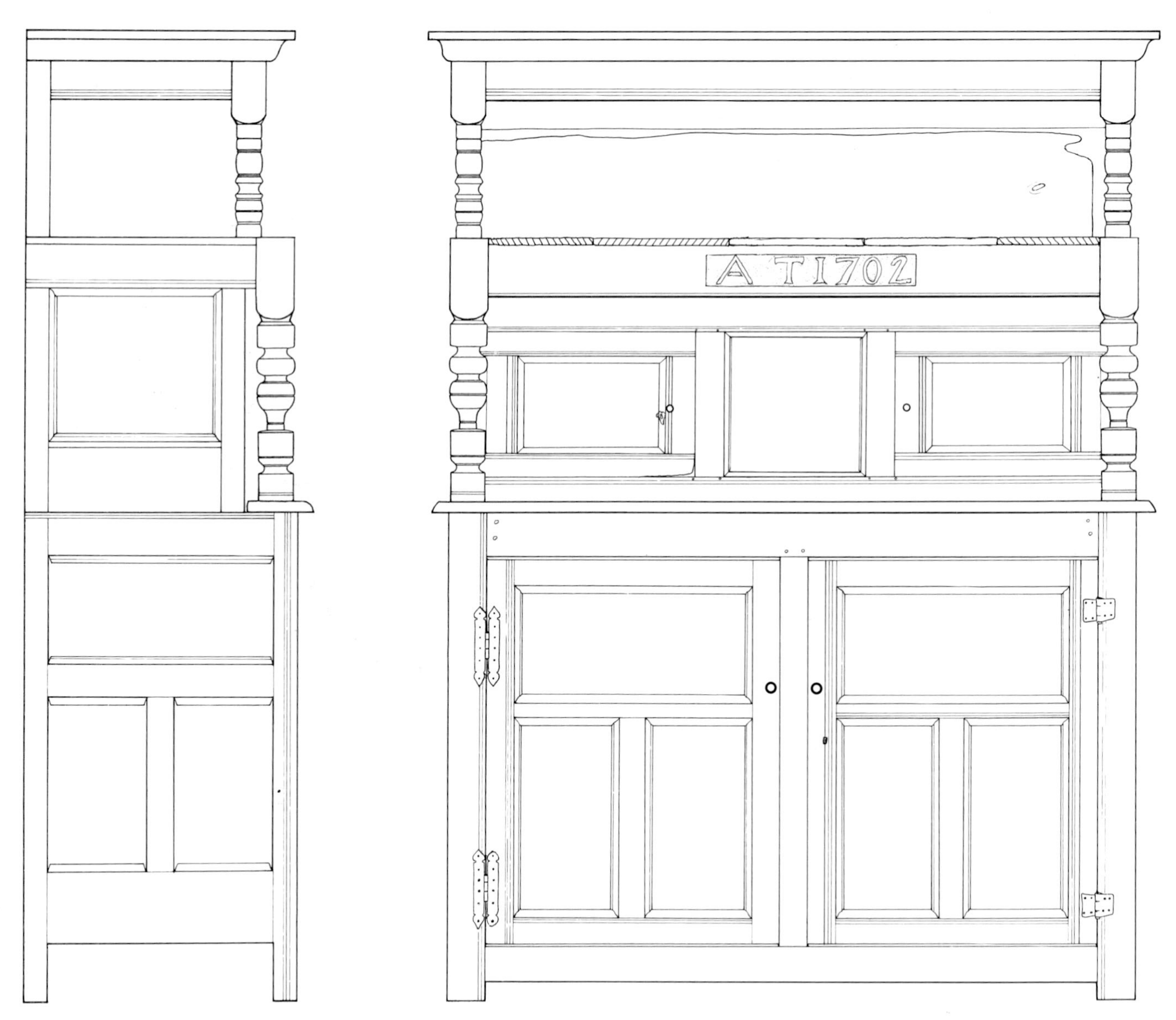

15. *Cwpwrdd tridarn o ganolbarth Cymru ac arno'r dyddiad 1702.*

15. *A* cwpwrdd tridarn *from mid Wales bearing the date 1702.*

Yn ddiau, y cwpwrdd tridarn a noda benllanw chwaeth a medr y crefftwr o Gymro a'i gwsmer yn ystod yr ail ganrif ar bymtheg a blynyddoedd cynnar y ddeunawfed ganrif ac fe berchir crefftwyr y gogledd gan bawb a ŵyr hanes y tridarn ar gyfrif ceinder ac amrywiaeth y darnau hyn. Cyfunant y ddau briod orchwyl y lluniwyd cwpwrdd caeedig ar ei gyfer sef cadw bwyd â'r awydd di-ben-draw i ddangos eiddo ac ymfalchïo yn ei berchen.

bearing the initials T.W. and the date 1726 on its upper portion was a piece made for and used in a farmhouse (**Plate 14**); the upper portion was added to an earlier *deuddarn* during 1726. This is a good example of adapting a piece for use and adds to a piece's value as a three-dimensional document that portrays a period in time. The *cwpwrdd tridarn* featured in **Plate 15** is from the same area of mid Wales. It bears the initials A.T. and the date 1702 on the centre of the three portions. This, again, shows signs of having been used over a number of centuries for the storage of food and utensils in both its lower portions, which was essentially the reason for the construction of the prototype in the first place.

There is no doubt that the *cwpwrdd tridarn* marks the pinnacle of achievement of the Welsh craftsman and his customer during the seventeenth and early eighteenth centuries. The craftsmen of the northern regions of Wales have been greatly respected by collectors the world over for their skill in the execution of this peculiarly north Walian piece.

Y Ddresel

Taflwyd cipolwg dros y *dressoir* a'i defnydd canoloesol uchod ac yn yr adran hon canolbwyntir ar ddatblygiad y darn arbennig hwn yng Nghymru. Y darn o'r ddresel a ddefnyddiwyd fel bwrdd isel yn y neuadd neu mewn rhodfa rhwng y gegin a'r neuadd a ddaeth yn boblogaidd yng Nghymru. Ar y darn hwn y paratoid y bwyd cyn ei gyflwyno i'r bwytawr. Pan oedd y cwpwrdd byr, y cwpwrdd deuddarn a'r tridarn yn eu bri nid oedd sôn am y ddresel yng Nghymru. Soniwyd eisoes na restrwyd un ohonynt yn rhestrau eiddo'r unfed ganrif ar bymtheg a'r ail ganrif ar bymtheg ac fe seiliwyd yr haeriad hwnnw ar astudiaeth o ddeg ar hugain o restrau eiddo drwy Gymru benbaladr. Ceir rhestlau i ddal platiau yn ystod y canrifoedd hynny yng nghegin a bwtri'r plas ac o ganol yr ail ganrif ar bymtheg ymlaen unwyd y bwrdd isel a ddefnyddid i hulio bwyd â'r rhestlau hyn i lunio darn ac iddo o leiaf ddau bwrpas, sef cadw a defnyddio. Gyda threigl y blynyddoedd daeth y ddwy elfen o gadw bwyd, megis cwpwrdd ac arddangos eiddo, megis oriel y cwpwrdd tridarn a'r *dressoir* gynt, yn rhan o swyddogaeth dreselau rhannau o Gymru yn ogystal. Mae'n ddi-os fod a wnelo ymddangosiad y ddresel yn y ffurf hon â'r newid dirfawr a fu yn ffasiynau dodrefn Prydain wedi adferiad y Frenhiniaeth ym 1660. Treuliasai aelodau llys Siarl II eu hamser yn Ffrainc a'r Iseldiroedd yn ystod cyfnod y Werinlywodraeth ac yno fe fodolai darn a oedd yn dra thebyg i'r ddresel a ymddangosodd yng nghanolfannau ffasiwn yn ystod y 1660au ac araf dreiddio i bob rhan o gymdeithas wedi hynny.

Cyplysir enw'r ddresel â Chymru ac yn ôl L. Twiston Davies a H. J. Lloyd-Johnes yn eu llyfr *Welsh Furniture,* yn aml y gelwir dreselau a luniwyd yn siroedd Lloegr yn ddreselau Cymreig, term a ddaeth yn rhywogaethol ac un a dâl deyrnged i allu'r crefftwr o Gymro yn y maes hwn. Dywed y ddau awdur hyn ymhellach, fel y gwnaeth amryw ar eu hôl, fod i'r ddresel Gymreig fwy o amrywiaeth ac unigolrwydd na rhai mannau eraill ac anodd anghydweld â hynny o ystyried y nifer helaeth a

The Dresser

The origins of the dresser in its medieval setting have already been roughly outlined. In this section its development in Wales will be considered. It was the low side table that was used in the hall or the passage between the kitchen and a dining hall that became popular in Wales. This was the piece of furniture on which the food was dressed before its presentation to the diner. When the court cupboard, the *cwpwrdd deuddarn* and the *tridarn* were popular in Wales, we have as we have noted above very few, if any, references to the dresser although some medieval examples must have survived in the larger houses of the country. Even so, a search of thirty inventories of sixteenth- and seventeenth-century date from diverse localities in Wales failed to unearth any reference to a dresser. Plate racks feature prominently in the inventories of the mansions of Wales during these centuries. They were usually found in the kitchen or buttery and from the middle of the seventeenth century onward they were united with the side table which was used to dress or prepare the food to create a piece of furniture that in the same manner as the cupboards was designed both to hold food and to display dishes. The emergence of the two-piece dresser is attributed to the changes of fashions occasioned by the return of the court of Charles II from France and the Low Countries with the Restoration of the Monarchy in 1660. In those countries there existed a piece of furniture that closely resembled the dresser that was introduced to the court and houses of the noblemen initially but which eventually found its way to the houses of all levels of society shortly afterwards.

Leonard Twiston-Davies and H. J. Lloyd-Johnes in their book *Welsh Furniture* claim that the term dresser has become synonymous with Wales and that pieces produced in many of the English counties were dubbed as 'Welsh dressers' even though they had no connection with the country. It is a tribute to the skill of the Welsh craftsmen that the term became generic on account of the Welsh dresser displaying more individuality in

oroesodd a'r amrywiaeth arbennig a fodola. Dichon fod yr hwyrder a gysylltir mor aml â dodrefn gwledig yn rhannol gyfrifol am hyn a siawns nad oedd ceidwadrwydd y gwladwr o Gymro yn gyfrifol am barhad traddodiad yng Nghymru drwyddi draw. O barhau a chadw ni safodd yr un dim yn ei unfan yn hanes y crefftwr gwlad. Arweiniodd at ail-greu ar yr un llinellau cynhenid ond at arbenigrwydd mewn addurn a dull yn ogystal. Dichon hefyd, fod daearyddiaeth Cymru law yn llaw â hwyrfrydigrwydd y Cymro neu, yn wir, ei anallu i ddilyn ffasiwn y dydd, wedi cyfrannu at greu dodrefnyn a oedd i ddwyn enw'r genedl am ganrifoedd. Soniodd amryw o awduron o Peate i Edwards o Twiston-Davies a Lloyd-Johnes i Victor Chinnery ac awduron cyfoes eraill am y modd y cafodd daearyddiaeth Cymru effaith ar ei datblygiad. Ymseisnigodd yr uchelwyr o'r ail ganrif ar bymtheg ymlaen a chofleidiodd amryw o'r rhai a fedrai ddilyn ffasiynau'r dydd y ffasiynau tramor a oedd mor boblogaidd yn ninasoedd mawr Lloegr o 1660 hyd oes Victoria. Nid oedd modd gan y Cymro gwledig, y ffermwr a'r gweithiwr i gael i'w dŷ ddarnau a luniwyd o brennau tramor drud megis collen ffreinig yr ail ganrif ar bymtheg, mahogani'r cyfnod wedi 1720, pren sidan diwedd y ddeunawfed ganrif a rhoswydd dechrau'r bedwaredd ganrif ar bymtheg. Yn wir, anodd fyddai cludo'r prennau hyn dros y tir i gefn gwlad Cymru neu o borthladdoedd bychain arfordir y wlad pe mewnforid peth o'r deunydd crai drwy'r mannau hynny. Efelychwyd nifer o ffasiynau'r dydd gan y crefftwr o Gymro a ddefnyddiodd brennau gwledig, brodorol i ateb gofynion chwaeth a defnydd cymdeithas na ddibynnai'n uniongyrchol ar y byd mawr oddi allan am ei bara beunyddiol. Yn y gymdeithas gydweithredol, hunan-gynhaliol a fodolai yng Nghymru hyd y Chwyldro Diwydiannol mae'n amlwg i ddarnau megis y deuddarn, y tridarn a'r ddresel gael daear dda. Pan ddaeth mahogani yn rhad a chyffredin yn ystod y bedwaredd ganrif ar bymtheg cyfran fechan o wladwyr a brynodd *chiffonier,* neu *sideboard* a phan oedd prinder deunydd crai lluniwyd y ddresel o binwydd, pren rhad a fewnforid o wledydd gogledd Ewrop, a lluniwyd dreselau ar lun y rhai derw cynharach o'r pren hwnnw i ateb dibenion a chwaeth cenhedlaeth wahanol o bobol a

design, construction and decoration than dressers produced in other parts of the British Isles. This label of excellence and the statistic that states that more dressers were constructed and have survived in Wales than elsewhere must be partly due to the conservatism of the Welsh craftsman and his customers, a conservatism that eventually led to specialization rather than stagnation of style and design, and subsequently to new creations. The Welsh topography was also responsible for the inability of Welsh craftsmen and their customers to copy the fashions of the day in the English cities, had they so wished. Many authors in this field from Peate to Edwards, from Twiston-Davies and Lloyd-Johnes to Victor Chinnery and his contemporaries have maintained that the fashions in Welsh furniture have been affected by the country's terrain. The Welsh gentry became Anglicized from the seventeenth century onwards and a good number embraced the fashions of the day in the English towns, these fashions having been introduced from abroad from the 1660s to the age of Queen Victoria. There was no way that a Welsh yeoman or peasant could afford to purchase items of walnut during the seventeenth century, mahogany after the 1720s, the satinwood of the late eighteenth century, or the articles of rosewood made during the early nineteenth century. Indeed, it would have been extremely difficult to transport the raw materials for the making of such articles either overland from England or via the small ports of the Welsh seaboard. A number of these borrowed foreign styles in exotic timbers were adapted by the Welsh craftsman in his re-creation of pieces in oak and other native timbers for his own clientele in a society that seldom had to rely on the world outside for any of its basic essentials. The co-operative, self-sufficient pre-industrial society of rural Wales was content with its traditional cupboards and other pieces and it was to this conservative society that the dresser was introduced and in which it subsequently blossomed. Even when mahogany became plentiful and relatively inexpensive during the nineteenth century the majority of country people still preferred a dresser to a *chiffonier* or a sideboard and when oak was not available, the dressers were constructed of deal imported from the countries of northern Europe in imitation of the earlier

16. *Dresel o'r hen sir Gaernarfon tua 1740.*

16. *A dresser from the old Caernarfonshire, about 1740.*

arddangosai lestri a gwahanol addurnau yn oes aur y defnyddiwr.

Mynn rhai gwerthwyr a chasglwyr fel ei gilydd y medrir lleoli ac enwi ymron i bob dresel yn ôl ardal, neu hyd yn oed dref unigol. Bid hynny fel y bo, teimlir bod

oak dressers of Wales to cater for the needs and tastes of people involved in a consumer society that provided them with goods such as ornaments, souvenirs and various other articles for display.

Some dealers and collectors maintain that Welsh

17. *Dresel o ardal Dyffryn Conwy tua 1720.*

17. *A dresser from the Conwy Valley district, about 1720.*

18. *Dresel o ardal Dyffryn Conwy tua 1720.*

18. *A dresser from the Conwy Valley district, about 1720.*

llawer o waith eto i'w gyflawni cyn medru bod mor fanwl gywir â hynny, a bodlonir isod ar leoli rhanbarth arbennig neu sir lle tardd math arbennig ar ddresel oni wyddys i sicrwydd i lawer gael eu cynhyrchu mewn ardal neu fro. Yn ddiau, fe arweiniodd yr arbenigo a'r dyblygu, yr efelychu a'r caboli at deuluoedd o wahanol ddreselau mewn rhannau o Gymru ac, yn syml fe'u rhennir yn ôl prif ddosbarthiadau gogledd, canolbarth a de yn yr adrannau isod. Yn wir, gosodir y de yn nesaf at y gogledd i geisio cymharu'r amrywiadau mawr a gaed yn y ffurfiau gyda dreselau'r canolbarth, a fedd rai o nodweddion y ddau begwn, yn olaf.

dressers can be labelled with an exact place of origin be that a town or a village. Be that as it may, it is felt that much work needs to be carried out in this field before that happy state of affairs can be achieved. In the following sections therefore the main general area from which it is known that a dresser originated is used. However, labelling exclusively by town or village can be highly misleading in this context since the profusion of regional variations was sometimes strongly influenced by elements from outside a particular area. There is no doubt that in Wales the specialization led to the construction of certain 'families' of dressers. They will be labelled according to provenance, north, followed by south to examine the main contrasts between the two regions and, finally, mid Wales where designs peculiar to both main regions have been found.

19. *Dresel o ardal Dyffryn Conwy tua 1730.*

19. *A dresser from the Conwy Valley district, about 1730.*

DRESEL Y GOGLEDD

Ymron yn ddieithriad, dresel ag iddi gwpwrdd caeedig isod a silffoedd i gadw neu arddangos uchod yw dresel y gogledd. Gellir yn hawdd ei chymharu â'r darnau a drafodwyd eisoes, y cypyrddau deuddarn a thridarn, ond fod arni fwy o le i arddangos llestri. Mae'r ddresel dderw o sir Gaernarfon a ddangosir ym **Mhlât 16** yn dra nodweddiadol gydag estyll yn ei chefn a droriau a chypyrddau ynddi a defnydd o bren meddal y tu mewn i'r droriau a'r cypyrddau. Mae'r ddresel fechan a welir ym **Mhlât 17** yn nes fyth at y cypyrddau hynny. Mae ymhlith y teip ceinaf a grëwyd ac yn cynrychioli teulu o ddodrefn bychan, destlus a luniwyd yn Nyffryn Conwy a phentrefi cyfagos. Perthyn i chwarter cyntaf y ddeunawfed ganrif ac y mae iddi gryn arbenigrwydd. Sylwer ar baneli'r drysau a holltwyd yn ddau, rhes o ddroriau uwch eu pennau a dau gwpwrdd bychan ar estyll canol y rhestl a osodwyd arni i ddal llestri.

O'r un ardal a'r un cyfnod y daw'r ddresel a welir ym **Mhlât 18** ond sylwer bod y ddau gwpwrdd bychan bellach wedi disgyn i arwynebedd y bwrdd. Gosodwyd cynheiliaid i blatiau rhwng y cypyrddau ac addurnwyd y ffris yn debyg i'r un flaenorol. Perthyn i tua'r un cyfnod â'r geinaf o'r tair (**Plât 19**) a ddaw eto o'r un ardal gyda'r cypyrddau bychain eto'n rhan o'r astell, ond fe'u hunir y tro hwn gan res o gypyrddau agored a addurnwyd yn arbennig ynghyd â rhes o ddroriau i ddal perlysiau. Gwyddys am rai degau o'r rhain, oll wedi'u trin yn unigol a chelfydd ac oll yn dwyn nodweddion y crefftwyr a'u lluniodd. Sylwer ar gyflwyno'r droriau yn lle'r panel ar rai ohonynt i ffurfio T a ddengys ateb gofynion defnyddioldeb yn ogystal â chwaeth neu ffasiwn ac amrywia manylion y ffris mewn nifer mawr ohonynt yn ogystal, oll yn ddarnau a luniwyd ar gyfer y teulu unigol.

Tua chanol y ddeunawfed ganrif lluniwyd dreselau mwy agored ar gyrrion Dyffryn Clwyd, darnau ac iddynt ddau gwpwrdd isod a rhes o silffoedd yn unig yn y rhan uchaf (**Plât 20**). Ar gyfer bwthyn y lluniwyd hon gan ei bod yn dwt a destlus. Sylwer ar yr amlycaf o'i nodweddion sef y bwlch mawr uwch y silff uchaf i osod platiau cig ynddo. O Ddyffryn Clwyd tua'r un cyfnod y daw'r enghraifft a welir ym **Mhlât 21** yn ogystal ond ei

THE NORTH WALES DRESSER

The type of dresser found in north Wales has almost without exception an enclosed cupboard base and row of shelves with a solid back above. It would be appropriate to compare it with the cupboards discussed above but note that the rack or the superstructure has more room to display plates and other items. The oak dresser from the old Caernarfonshire shown in **Plate 16** is quite typical of the northern type with a boarded back to the superstructure and drawers and cupboards below with an extensive use of softwood in the drawer sides. The small dresser in **Plate 17** is one of the closest examples that one can find to the cupboards discussed previously. It represents a family of dressers produced in or near the Conwy Valley and is surely one of the finest examples of its kind. It is small, neat and exact in all its proportions and was made during the first quarter of the eighteenth century. Note the cleft panels on the cupboard doors, the row of drawers above and the two small cupboards installed between the two middle shelves of the superstructure. The frieze is decorated in a fashion that is typical of many areas of north Wales as we shall see below.

Another excellent example from the same area and same period is seen in **Plate 18** but note that the two small cupboards have now been placed on the actual surface of the dresser, the table top, and joined by a rack for plates. The finest example of these carefully chosen representatives (**Plate 19**) was made during the same period in the same area and further illustrates the country craftsman's ability to diversify and adapt and to make bespoke pieces for his customers. The two small cupboards in the superstructure are now united by a row of open cupboards above a neat row of spice drawers. A major addition to this example is the introduction of drawers in the centre of the lower portion to form a T which illustrates the utilitarian need for a dresser as well as the obvious design for show. Scores of dressers of this type and from this locality have been recorded, all carefully and individually made during the first half of the eighteenth century and pandering to the needs of the local community in design and utility.

20. *Dresel o Ddyffryn Clwyd, canol y ddeunawfed ganrif.*

20. *A dresser from the Vale of Clwyd, mid eighteenth century.*

21. *Dresel o Ddyffryn Clwyd, canol y ddeunawfed ganrif.*

21. *A dresser from the Vale of Clwyd, mid eighteenth century.*

bod yn fwy ei maint gyda'r droriau unwaith eto ar ffurf T yn y rhan isaf. Dresel a luniwyd i deulu o ffermwyr oedd hon a bu yn yr un teulu am ddwy ganrif.

Dreselau o faint cyffelyb gyda'r un drefn o gypyrddau a droriau isod a welir yn y ddau lun nesaf hefyd (**Plât 22 a 23**). Daw'r naill o ardal Y Bala a'r llall o Flaenau Ffestiniog ym Meirionnydd. Sylwer mai manylion bychain yn unig a ddynoda'r gwahaniaeth rhyngddynt gydag un drôr ac un cwpwrdd ychwanegol yn un Y

During the middle decades of the eighteenth century, dressers with a more open rack were produced in the Vale of Clwyd. The smaller examples were fitted with two cupboards below and a rack above (**Plate 20**). This neat example was made for a cottage in the area and one of its principal features is the absence of drawers and the large gap between the top shelf and the frieze which exaggerates the practice of placing meat dishes above ordinary plates but which offers a stunning view of a garnish of pewter or a dinner service. The dresser shown in **Plate 21** was made for a farmhouse in the Vale of Clwyd at about the same time and it remained in the

22. *Dresel o ardal Y Bala, Meirionnydd, tua 1770-80.*

22. *A dresser from the Bala area, Merioneth, about 1770-80.*

Bala, tra bo panel yn gwahanu'r ddau gwpwrdd yn nresel Blaenau Ffestiniog. Yn y ddwy sylwer ar y ffris gerfiedig sydd mor debyg i'r enghreifftiau llai a welwyd o gyffiniau Dyffryn Conwy.

Ail-ymddengys y droriau ar ffurf T ar ddreselau a luniwyd yn Ynys Môn tua chanol y bedwaredd ganrif ar bymtheg (**Plât 24**). Yn yr enghraifft hon gwelir llawer o addurn a ddaeth yn nodweddiadol o oes Victoria, yr ychwanegiadau o fahogani i addurno'r ddresel dderw megis y cynheiliaid turniedig, y corneli, paneli drysau, y bwlynnod a'r darnau cloeon o asgwrn. Mae paneli cefn rhan uchaf y ddresel hon yn gymesur o'u cymharu â rhai'r cyfnodau cynt.

Detholwyd yr enghreifftiau hyn o nifer helaeth o rai cyffelyb i ddangos yr amrywiaeth mawr a luniwyd yng ngogledd Cymru yn ystod y ddeunawfed ganrif a hanner cyntaf y bedwaredd ganrif ar bymtheg.

family's possession until the 1970s. It is larger than the previous example and has an arrangement of drawers in the form of a T which complicates categorization into exact localities.

Plates 22 and **23** are of dressers made in Merioneth during the second half of the eighteenth century. The first comes from the Bala region, the other from Blaenau Ffestiniog. They resemble the Vale of Clwyd farmhouse dresser in size and constructional details but again exhibit an individuality of treatment. Note that the Bala example has both an extra drawer and an extra cupboard whilst a panel separates the cupboards in the example from Blaenau Ffestiniog. The frieze in both

23. *Dresel o Flaenau Ffestiniog, Meirionnydd, tua 1770-80.*

23. *A dresser from Blaenau Ffestiniog, Merioneth, about 1770-80.*

examples is reminiscent of the type found on the earlier and smaller dressers from the Conwy Valley.

The T formation of drawers reappears in dressers made on the island of Anglesey during the middle decades of the nineteenth century (**Plate 24**). Much of the decoration associated with early Victorian furniture can be seen on this example, ranging from the mahogany cross-banding, the turned mahogany supports flanking the lower portion, the spandrels on the cupboard doors, to the turned knobs and bone escutcheons. Notice also the regularity of the back panels compared with the dresser of a century and a half earlier.

These few examples were selected from a large number of available dressers in an attempt to note some of the variations that occurred in the style and design of the north Wales dresser.

24. *Dresel o sir Fôn, canol y bedwaredd ganrif ar bymtheg.*

24. *An Anglesey dresser, mid nineteenth century.*

DRESEL NEU SELD Y DE

Dresel, neu seld i roi iddi'r enw tafodieithol, gwbl agored a welid yn siroedd de Cymru gyda'r pwyslais ar y bwrdd bychan yn hytrach nag ar y cwpwrdd dal bwyd. Uchod, gosodwyd rhestl gyffelyb i'r rhai a fodolai mewn ceginau cynnar ac mae'r holl enghreifftiau hyn yn dangos pa mor lwyddiannus yr unwyd y darnau cynhenid i lunio un ddresel. Is y bwrdd ceir astell i osod potiau neu gawgiau arni neu, yn wir, blatiau un ar ben y llall nad oedd lle iddynt ar y rhan uchaf. Yn y rhan honno fframwaith a geid fynychaf megis yn yr enghraifft hon o Forgannwg (**Plât 25**). Dyddia o tua 1780 a'i llunio ar gyfer cegin plas. Nid oes estyll ar gefn y darn uchaf a

THE SOUTH WALES DRESSER

The southern dresser is based on the combination of side table and rack with an open pot board below. The rack is similar to the plate rack used in the medieval kitchen and each of these examples illustrates the success of joining the two forms of early furniture to provide a piece of furniture that has an utilitarian purpose but which was primarily designed for show. The pot board below is for the storage of pots and plates. The superstructure more often than not is open as in this example of *circa* 1780 from the kitchen of a mansion in Glamorgan, the plates resting against a wall (**Plate 25**). The tracery is a particular feature of this

25. *Dresel o Fro Morgannwg, tua 1780.*

25. *A dresser from the Vale of Glamorgan, about 1780.*

phwysa'r platiau yn erbyn y mur. Mae addurn agored arbennig ar hon yn y rhestl ac is y droriau isaf. Fersiwn lai o'r un cyfnod yw'r un o Lansanwyr yn yr un sir (**Plât 26**) sy'n dangos rhai amrywiadau ar y prif fath gyda rhes o gynheiliaid turniedig, pum drôr yn hytrach na rhes o dri, droriau i ddal perlysiau a chefn i'r darn uchaf a'r darn isaf. Eto, gwelir yma addurn agored fel yn y ddresel flaenorol ond mae'n un dipyn llai na'r enghraifft honno. Mae cefn i'r ddresel o Gil-y-cwm (**Plât 27**) ond i'r rhan uchaf yn unig, a ddynoda amrywiaeth arall.

26. *Dresel o Lansanwyr, Morgannwg, tua 1780.*

26. *A dresser from Llansannor, Glamorgan, about 1780.*

27. *Dresel o Gil-y-cwm, Dyfed, diwedd y ddeunawfed ganrif.*

27. *A dresser from Cil-y-cwm, Dyfed, late eighteenth century.*

example. Tracery also appears on a dresser from Llansannor in Glamorgan (**Plate 26**) of roughly the same date as the previous example; it is a smaller, neater example but also used in the kitchen of a large house. Note that it is fitted with a complete back that stretches from the frieze to the floor. The turned supports beneath the five drawers are a fine feature as are the spice drawers at the base of the superstructure. The dresser from Cil-y-cwm, Carmarthenshire (**Plate 27**) is also fitted with a back to the superstructure or rack. This is a particularly solid dresser which lends itself to the display of a number of dishes and plates. It is comparatively unadorned with the exception of the turned supports beneath the drawers. The pot board is fitted with a retaining bar for the display of dishes. Hooks were

28. *Dresel o'r hen sir Frycheiniog, diwedd y ddeunawfed ganrif.*

28. *A dresser from old Brecknockshire, late eighteenth century.*

29. *Dresel o orllewin Morgannwg, tua 1780.*

29. *A dresser from west Glamorgan, about 1780.*

Mae hon yn ddresel arbennig o solet a chynhwysfawr heb iddi nemor ddim o addurn ac eithrio'r addurn prin a welir ar y coesau turniedig isod. Noder yr amrywiaeth arall, sef rhigol neu gynheiliad ar y bwrdd isod i ddal ac arddangos platiau. Yn sicr, yr oedd digon o le i arddangos o bob math ar ddreselau'r de boed y llestri yn ffeutur neu briddfaen. Ychwanegwyd bachau at y silffoedd i grogi siwgiau oddi arnynt ac mae'r cyfan yn wledd i'r llygad.

added to the shelves of the superstructure on which jugs were suspended, adding to the attractiveness of the display.

The late eighteenth-century example from near Brecon in Powys (**Plate 28**) contains two rows of drawers below with sufficient room for pots or plates on the pot board. The arcaded sections uniting the turned supports are an attractive feature of this dresser as are the spice drawers in the upper portion and the decorated frieze.

30. *Dresel o Bontardawe, Cwm Tawe, tua 1810.*

30. *A dresser from Pontardawe, Swansea Valley, about 1810.*

Ceir dwy res o ddroriau isod yn yr enghraifft o'r hen sir Frycheiniog (**Plât 28**) a digon o le danodd i gadw cawgiau neu blatiau ar eu llorwedd dan dri bwa a una'r cynheiliaid turniedig. Gosodwyd rhes o ddroriau perlysiau yn rhan uchaf hon eto a chabolwyd y ffris.

Wrth reswm, nid oedd pob dresel mor gain â'r rhain a luniwyd yn ystod ail hanner y ddeunawfed ganrif. Tua 1780 y lluniwyd yr un syml o orllewin Morgannwg (**Plât 29**) ac mae'n gwbl syml heb na chefn na drôr perlysiau ynddi. Cyfyngwyd yr addurn prin sydd arni i'r pedwar post cynnal rhwng yr astell a'r bwrdd; fe bwysa'r platiau ffeutur yn erbyn y mur ac addurnwyd y ffris yn ogystal. Syml a moel yr olwg yw'r enghraifft o Bontardawe yng

Obviously, all dressers were not as finely made or decorated as these south Walian examples which were all made during the second half of the eighteenth century. The plain, simple dresser which is featured in **Plate 29** also dates from the second half of the

31. *Dresel o Lanilltern, Bro Morgannwg, tua 1830.*

31. *A dresser from Llanilltern, Vale of Glamorgan, about 1830.*

Nghwm Tawe a ddyddia o ddechrau'r bedwaredd ganrif ar bymtheg (**Plât 30**). Mae'n oleuach ei lliw na'r ddresel a welir ym **Mhlât 29** a cheir ynddi rai ychwanegiadau megis y droriau bychain. Mewn dresel ddeheuol o'r cyfnod hwn pwysleisir defnydd y rhan uchaf i arddangos a'r balchder a gâi pobl mewn bod yn berchen ar lestri tsieni neu briddfaen boed yn setiau neu ddarnau amrywiol. Os meddent rai, pam nad eu dangos a'u huno â darn mor gain â'r ddresel ddeheuol. Hyn a wnaed yn y ddresel o Fro Morgannwg (**Plât 31**) sy'n fath ar gymath rhwng dau gyfnod ond yn enghraifft wych o lunio ar linellau traddodiadol wedi cyflwyno mahogani i ran hon y wlad. Yr oedd y ddresel nid yn unig yn ganolbwynt yr ystafell ac yn wledd i'r llygad ond yr oedd yn ddefnyddiol mewn cegin orau i gadw llestri bob dydd yn ogystal.

DRESELAU'R CANOLBARTH

Ceir amrywiaeth o ddreselau yn siroedd canolbarth Cymru. Mae'r rhain yn drwm dan ddylanwad ffasiynau'r de a'r gogledd ond heb fod yn union yr un fath â'r un o'r ddau brif fath. Ceir, yn ogystal, enghreifftiau sydd yn drwm dan ddylanwad y math ar ddresel a welwyd yn swydd Amwythig a siroedd eraill y gororau. Bu'r ddresel a welir ym **Mhlât 32** mewn ffermdai yn Nyffryn Hafren, rhwng y Drenewydd a'r Trallwng am ddau gan mlynedd, eto, gellid barnu mai o'r tu hwnt i'r ffin â Lloegr y daeth gan fod y goes gabriole a gynhalia'r prif fwrdd yn elfen ddieithr mewn dreselau Cymreig. Nid oes i hon gefn ychwaith ac mae'r cyfoeth platiau ffeutur yn pwyso yn erbyn y mur fel mewn enghreifftiau deheuol. Yn wir, yma eto gwelir y defnydd o'r rhestl ar ei gorau gan mai at gadw ac arddangos y bwriadwyd rhan hon y ddresel yn wreiddiol.

O'r un rhan o Bowys y daw'r enghraifft nesaf (**Plât 33**), o Dregynon ryw bum milltir i'r de-orllewin o gartref olaf yr enghraifft flaenorol, ar y gweundir sydd rhwng Dyffryn Hafren a mynyddoedd y canolbarth. Gwyddom eto i hon fod yn yr un teulu am ddwy ganrif. Mae hon yn drwm dan ddylanwad ffasiwn y dydd a chan iddi

eighteenth century and it is purely functional without a back or a spice drawer, the only concession to ornament being the turned supports and the frieze. Another simple dresser of a later date is an example of *circa* 1810 from Pontardawe in the Swansea Valley (**Plate 30**). It is much lighter in colour than the previous example and has concessions to style in the insertion of spice drawers. As with other rack dressers of south Wales the opportunity to display ownership of plates and jugs on the rack of the dresser was as important as ownership of the dresser itself. Pewter and earthenware dishes have been displayed effectively thus, often concealing the ordinary workmanship of the dresser's maker as in **Plate 31,** a dresser from the Vale of Glamorgan with two extra drawers. This dresser is based on traditional lines but has only one main aim in view, the display of one's possessions in a period when mahogany furniture was being introduced into this part of Wales. The dresser was not only the centrepiece of a kitchen, a living room or a parlour and a feast for the eyes to boot but was also used to store tea and dinner services.

THE DRESSERS OF MID WALES

The types of dressers found in mid Wales are many and varied, showing the influence of the fashions of both the north and the south of the country while remaining quite individual in their treatment. There are also a number of types in the area that have been influenced by the styles of neighbouring Shropshire and the other English marcher counties. The dresser shown in **Plate 32** is such an example although it was made for a family of farmers in the Severn Valley during the second half of the eighteenth century. Its style is alien to most parts of Wales, the cabriole leg being a feature found on some English regional types. The garnish of pewter plates also rests against the wall, as in examples from south Wales, and displays to good advantage the use of the rack for the exhibiting of possessions or treasures.

The dresser in **Plate 33** comes from roughly the same area, from Tregynon some five miles to the south-west of the last home of the previous example. It was made for an estate farm by a craftsman who knew something of the fashion of the day outside his own locality. It may be

32. *Dresel o Aberriw yn Nyffryn Hafren, tua 1770.*

32. *A dresser from Berriew in the Severn Valley, about 1770.*

gael ei llunio i fferm ystad gellir bwrw amcan fod y crefftwr a'i lluniodd wedi derbyn cynghorion gan ŵr y plas i ddilyn ffasiwn y dydd orau y medrai neu iddo weld enghreifftiau o ddodrefn ffasiynol ym mhlasau'r ardal. Agored yw'r gwaelod gyda'r astell gawgiau neu botiau wedi'i llunio i ddal pwysau trwm pe mynnid. Yn y rhan uchaf gwelir cyflwyno'r ddau gwpwrdd bychan a welwyd ar ddreselau bychain ddechrau'r ddeunawfed ganrif yn y gogledd. Gosodwyd y rhain rhwng y silffoedd isaf ac arwynebedd y bwrdd ond ychwanegwyd cypyrddau hirgul atynt i lunio colofn a derfyna mewn pen addurniedig, yn union yn null y mudiad clasurol newydd a bennai ffasiynau'r dydd yn ystod y 1760au. Rhigolwyd y golofn ar y drws i ddynwared y ffurfiau poblogaidd a'r tu mewn i'r drws gosodwyd silffoedd bychain; mae'r ffris yn enghraifft bellach o geisio dilyn ffasiynau a welwyd y tu allan i ffiniau'r fro hon.

that the information was provided by the lord of the manor or the craftsman may well have seen the example from which he gleaned his information in the numerous country houses which are dotted around this area. The pot board is constructed to hold a good weight whilst the introduction of two small cupboards as in the Conwy Valley examples of the early eighteenth century (**Plate 18**), are a feature of the enclosed rack. It is interesting to note the introduction of two slim cupboards above this smaller example, each decorated with reeding in the form of a column and terminating in a capital reminiscent of the neo-classical fashions of the 1760s, an attempt at imitation which has lent character to this heavy piece of furniture.

Equally heavy is the piece shown in **Plate 34.** It too was made during the later eighteenth century in the hilly region between the Severn Valley and the Cambrian Mountains. It is so similar to the south Wales examples as to make a nonsense of over-categorization,

33. *Dresel o Gefngwifed, Tregynon yn yr hen sir Drefaldwyn, tua 1760-70.*

33. *A dresser from Cefngwifed, Tregynon, in old Montgomeryshire, about 1760-70.*

34. *Dresel o hen sir Drefaldwyn tua 1780.*

34. *A dresser from old Montgomeryshire, about 1780.*

Mawr a di-addurn yw'r enghraifft a welir (**Plât 34**) o'r un rhan o'r wlad ond mae hon mor debyg i rai o enghreifftiau'r de nes taflu peth sen ar gategoreiddio o'r math a fodola mewn rhai cylchoedd. Gwyddys eto i hon fod yn sir Drefaldwyn ers diwedd y ddeunawfed ganrif ac mae'n enghraifft ardderchog o uno soletrwydd dreselau Gwynedd â ffurf fwy agored y de. Pe tynnid y rhestl oddi arni gellid tybio ei llunio yn Lloegr gan i aml i enghraifft ddi-restl fodoli yn siroedd y gororau. Yma, eto, mae digon o le i arddangos a chadw platiau. O Lanidloes yn ne Maldwyn y daw'r enghraifft iau (**Plât 35**) a ddyddia o'r 1830au. Fel yr enghraifft o Ynys Môn, gwelir cyflwyno mahogani i addurno derw golau yn hon. Sylwer ar gynllun y droriau a'r cypyrddau yn y rhan isaf, cymath o ffurfiau a theipiau'r canrifoedd cynt. Wedi llunio'r math hwn ar ddresel, yn ddiweddarach yn y ganrif yr ychwanegwyd cypyrddau gwydr i arddangos llestri yn y rhestl neu yn lle'r rhestl ac o hynny ymlaen anodd iawn oedd pennu nac ardal na chynllun lleol i ddodrefn Cymru o'r math hwn.

but it does serve to illustrate the uniting of the solidity of the Gwynedd dresser with the open structure of the southern variety, giving ample room for the display and storage of plates. The next example (**Plate 35**) was made in south Montgomeryshire and dates from *circa* 1840. As in the Anglesey example the introduction of mahogany to decorate the light oak is a feature of this dresser from Llanidloes. Note the arrangement of drawers and cupboards in the lower section, a mixture of forms and shapes of the previous centuries. Dressers of this nature were introduced later and often fitted with glass doors in the rack to display plates and ornaments. It is difficult to determine the area of origin of that particular type of furniture.

35. *Dresel o Lanidloes, Powys, tua 1840. (Gweler t. 40.)*

35. *A dresser from Llanidloes, Powys, about 1840. (See p. 40.)*

36. *Dresel o Ddyffryn Ystwyth, Ceredigion, diwedd y ddeunawfed ganrif.*

36. *A dresser from the Ystwyth Valley, Ceredigion, late eighteenth century.*

Lluniwyd amryw o wahanol fathau o ddreselau yng Ngheredigion yn ystod y ddeunawfed ganrif a dechrau'r bedwaredd ganrif ar bymtheg. O ddiwedd y ddeunawfed ganrif y daw'r enghraifft o Ddyffryn Ystwyth (**Plât 36**), un o nifer gyffelyb a ddaeth o'r ardal honno er nad yw'n wahanol iawn i rai a luniwyd yn rhannau eraill y canolbarth ond bod y crefftwr gwlad unigol wedi gosod ei stamp bersonol ef arni. Gellid tybio i'r teulu hwn o ddreselau gael eu byrhau ar un adeg ond o astudio'r gwneuthuriad yn fanwl gwelir mai'r llygad sy'n camarwain y meddwl ac er bod y rhestl yn fyrrach na'r rhelyw mae'n gwbl wreiddiol. Ar gyfer bythynnod neu dyddynnod â nenfydau isel y lluniwyd y dreselau hyn a chywasgwyd y silffoedd uwchben gwaelod cadarn.

A variety of different types of dresser were made in Ceredigion during the eighteenth century and the early nineteenth century. The late eighteenth-century dresser illustrated in **Plate 36** was made in the Ystwyth Valley, one of a number of similar pieces made in that area, but not dissimilar to examples made in other parts of the old county and differing in appearance only as the maker or the customer decreed. It has been claimed that this group of dressers has a cut-down rack but on closer examination of the construction of the piece one is led to believe that the stunted appearance has more to do with the height of the ceiling of the rooms for which they were intended than any vandalism at a later date. They were made for small holdings or cottages where there

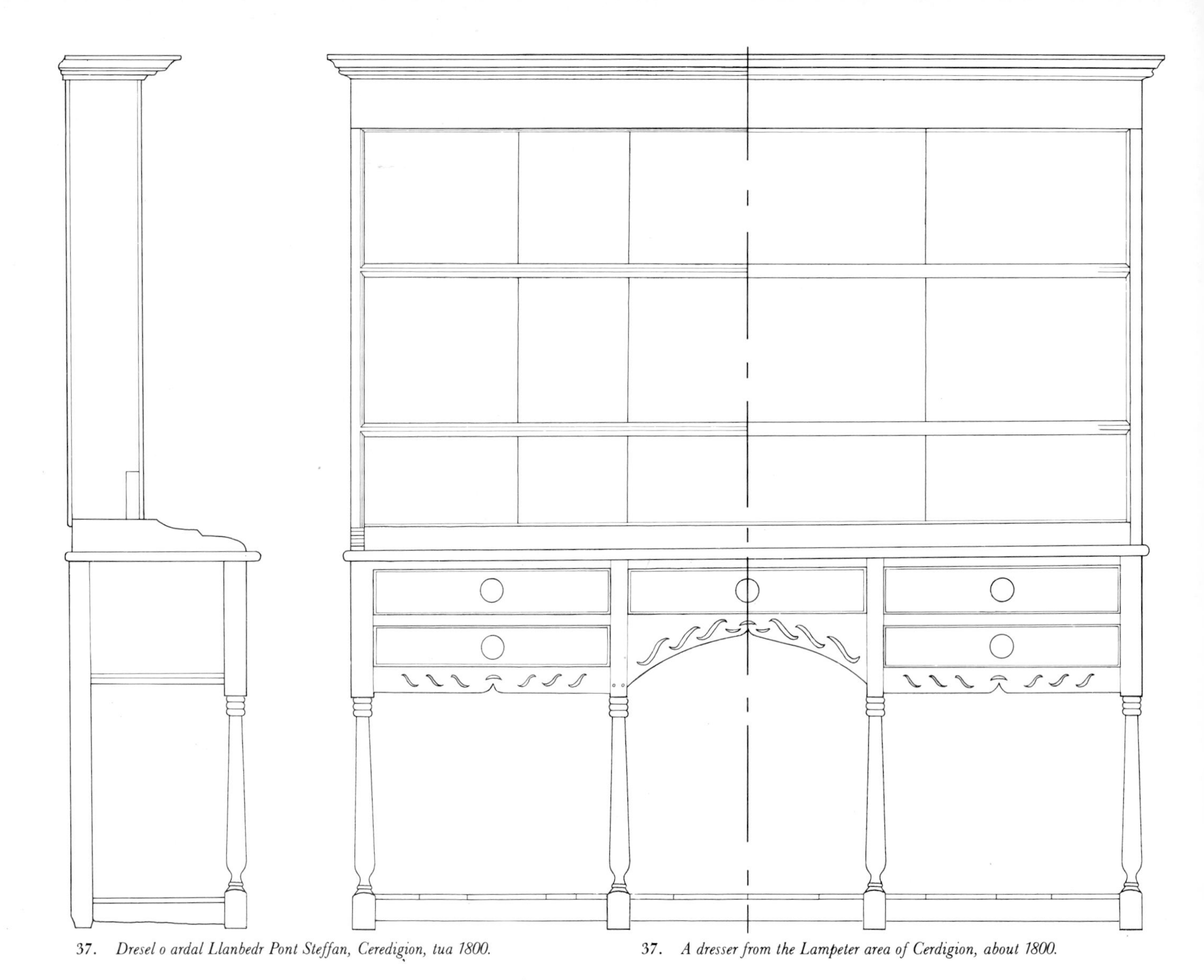

37. *Dresel o ardal Llanbedr Pont Steffan, Ceredigion, tua 1800.*

37. *A dresser from the Lampeter area of Cerdigion, about 1800.*

Sylwer ar ychwanegu dau ddrôr at y rhes o dri yma, gyda bwa rhwng y ddau a ragfynega'r ffasiwn am y cwb ci a oedd i ddilyn yn rhan hon y wlad yn ddiweddarach yn y bedwaredd ganrif ar bymtheg. Mae i'r rhestl gefn solet yn ogystal. Cymharer hon â'r un a welir ym **Mhlât 37** a ddaw o ardal Llanbedr Pont Steffan ac sy'n fath ar ddolen gydiol rhwng de a gogledd, yn uno un Cil-y-cwm â rhai gogledd Ceredigion. Ar y ddresel hon, a ddyddia o ddechrau'r bedwaredd ganrif ar bymtheg, yr addurn yn unig sy'n wahanol i ddreselau ardaloedd eraill, y bwlynnod turniedig, y ffedog addurniedig a'r cynheiliaid turniedig syml. Fel gyda mwyafrif yr enghreifftiau yn y llyfryn hwn, rhaid talu sylw at fedr unigol crefftwr weithiau yn hytrach na theip neu gategori arbennig. Nid oedd y crefftwr gwledig ynghlwm wrth gonfensiynau llyfr na chwaeth rhanbarth, os, yn wir, fod y fath beth mewn bodolaeth, a gellir edmygu ei grefftwaith yn fwy fyth o'r herwydd.

DRESELAU ARBENNIG

Yn yr adran olaf hon gwelir tair dresel a ddengys ddyfeisgarwch y crefftwr o Gymro ar ei orau a chynrychiolant holl ranbarthau Cymru er nad yw'r categorïau'n cydymffurfio'n union â'r hyn a nodwyd eisoes. Mewn rhannau o ogledd Cymru gosodid cloc mawr fel canolbwynt rhestl y ddresel (**Plât 38**). O Glwyd y daw'r enghraifft a welir yma ac mae'n ddogfen hanesyddol ynddi'i hun. Lluniwyd y cloc gan Moses Evans, ffermwr o wneuthurwr o Langernyw a gosododd enw'r cwsmer a dyddiad gwneuthuriad y darn, sef John Lloyd 1797 ar yr wyneb y tu mewn i rifau'r cloc. Cloc wyth niwrnod ydyw gŷda lle i'r pwysau ddisgyn y tu ôl i'r droriau canol byrion i grombil y rhan isaf. Mae hon yn drwm dan ddylanwad ffasiwn y dydd a gellir bwrw amcan fod John Lloyd, y perchennog, yn ŵr a oedd yn gyfarwydd â'r ffasiynau hynny. Ar gwcwll y cloc gwelir wrn glasurol ac ar y drws canol addurn ar lun cragen a osodwyd yn y drws yn null y cyfnod ac yn ôl ffasiynau Thomas Sheraton. Golau yw lliw'r pren gyda chefn y silffoedd yn dywyll mewn cymhariaeth.

Mewn cerdd o ddechrau'r ugeinfed ganrif sonia'r

was sufficient wall space for width but a shortage of height. Note the addition of two drawers to the base on either side of an arch. This was the forerunner of the dog-kennel dresser that was to follow at a later date during the nineteenth century. Note also the solid back which does not, however, extend beyond the rack. Compare this with the example seen in **Plate 37** which was made in the Lampeter area of Ceredigion at the turn of the nineteenth century and can be regarded as a link between the north and south, uniting the styles of the Cil-y-cwm dresser with the north Ceredigion example. The only feature that is different is the detail of decoration, the turned knobs, the pierced apron and the plain turned supports. As with the majority of examples in this booklet special attention must be paid to the individual craftsman's skill and ability, as well as the dresser's type or place of origin. The country craftsman was not governed by the conventions of pattern books or fashion and, consequently, his skill can be appreciated even more.

UNUSUAL DRESSERS

In this last section three unusual dressers that display the ingenuity of the Welsh craftsman will be discussed. They represent the main Welsh regions outlined above even though the styles do not conform exactly with the categories noted elsewhere in this booklet. In parts of north Wales, long-case clocks were placed as centrepieces of dresser racks (**Plate 38**). This example comes from Clwyd and it is a historical document in itself. It bears the name of Moses Evans a farmer clockmaker of Llangernyw, who in turn placed the name of the owner or commissioner of the piece, John Lloyd and the date 1797 within the dial's chapter ring. It is an eight-day clock with a space behind the short central drawers for the two weights to fall into the bowels of the piece. This dresser reflects contemporary fashion and one can deduce that John Lloyd was a person who was aware of the prevailing British fashions of the 1790s. A metal urn has been placed as an ornament on the clock hood and an inlaid shell in the manner of Thomas Sheraton appears on the clock door. The light oak facade is in contrast to the darker back and shelves.

38. *Dresel o Glwyd gyda chloc o waith Moses Evans, Llangernyw ynddi, 1797.*

38. *A dresser from Clwyd containing a clock made by Moses Evans of Llangernyw, 1797.*

39. *'Dresel gam i ffitio'r gongol', o Aberaeron, Ceredigion, tua 1800-20.*

39. *A corner dresser from Aberaeron, Ceredigion, about 1800-20.*

bardd gwlad Llwyd Llundain am 'stafell' neu neithior yn ardal Llangybi yng Ngheredigion a dywed

Gyda Mam 'roedd leinpres dderi
Nhad â'r cwpwrdd cornel teidi
Dresel gam i ffitio'r gongol
Dyna ran o gelfi'r gwaddol.

ac yn sicr dyma ranbarth y ddresel gam. Fe'u gwelid yn gyffredin yn Nyffryn Teifi, gogledd Penfro a gogledd yr hen sir Gâr ac mor bell i'r gogledd ag Aberaeron, yng Ngheredigion. O'r dref honno y daeth y ddresel hon (**Plât 39**) ac nid yw'n cydymffurfio â theip neu ffasiwn bro ond fe gyplysa ddau briod orchwyl y ddresel sef cadw ac arddangos a hynny gan ddefnyddio cyn lleied o le ag yr oedd modd. Fe'i lluniwyd yn ystod degawd

In a loose-metre poem by a country poet, Llwyd Llundain, the following lines appear in Welsh:

My Mother owned an oak linen press,
My father a fine corner cupboard
A crooked dresser to fit the corner
They were part of the furniture of the dowry.

The translated words refer to a dowry at the beginning of this century in the Llangybi district of Ceredigion, one of the districts where 'crooked dressers' were to be found. They occur quite frequently in the Teifi Valley, in north Pembrokeshire and Carmarthenshire and as far north as Aberaeron in Ceredigion. This example was made in Aberaeron and dates from the first decade of the nineteenth century (**Plate 39**). It does not conform to

40. *Dresel o binwydd a adeiladwyd fel rhan o gegin Llwyn-yr-eos, Sain Ffagan, tua 1880.*

40. *A pine dresser built into the kitchen of Llwyn-yr-eos, St Fagans, about 1880.*

cyntaf y bedwaredd ganrif ar bymtheg a'i hadeiladu'n llythrennol yn rhan o dŷ gyda'r rhestl wedi'i hoelio wrth ddist; hynny sy'n gyfrifol am golli'r rhan o'r ffris ar y chwith.

Dresel a osodwyd mewn cegin fferm ym Mro Morgannwg a welir ym **Mhlât 40.** Pinwydd a ddefnyddiwyd i lunio hon i denantiaid fferm Llwyn-yr-eos, Sain Ffagan tua diwedd y bedwaredd ganrif ar bymtheg ac nid yw'n cwbl gydymffurfio â chategorïau gan mai dresel at ddal llestri a bwyd ydyw a ddaeth yn rhan o'r tŷ. Cedwid bwyd yn y cypyrddau isod a sieryd yr amrywiaeth o lestri a welir ar y rhestl a lynwyd wrth y mur trostynt eu hunain.

type or to the fashion of a particular area but is a splendid example both of the utilization of space and of the storage and display of both food and dishes. It was literally built into a house in Aberaeron with the missing moulding on the left signifying where it was attached to a beam.

Another built-in dresser is featured in **Plate 40.** It formed part of the working kitchen of Llwyn-yr-eos, St Fagans in the Vale of Glamorgan and was made of pine around 1880. Again it does not lend itself readily to categorization because it is strictly an utilitarian piece designed for the display of plates and other dishes above and the storage of food in the lower portion.

Ôl-nodyn

Dichon mai'r amrywiadau hyn a'r nodweddion annisgwyl a welir ar ddreselau Cymru a rydd i ni y fath gyfoeth yn y darn arbennig hwn o'n heiddo ac a arweiniodd at gyplysu enw'r dodrefnyn â'r wlad. Cabolwyd llawer ar y darnau hyn yn nes ymlaen gan osod bwlynnod neu ddolenni iau yn lle'r rhai gwreiddiol fel y treuliai'r metel neu'r pren cysefin. Arweiniodd hyn at beth dryswch ymhlith casglwyr o bryd i'w gilydd.

Erys cannoedd o enghreifftiau o ddreselau neu seldiau a chypyrddau yng Nghymru o hyd er gwaethaf y bri mawr fu ar eu casglu yn ystod ail hanner yr ugeinfed ganrif. Yn ystod y cyfnod hwnnw allforiwyd llawer iawn ohonynt i lu o wledydd ar hyd a lled y byd ac ni wyddys eu hynt na'u helynt wedi hynny. Rhaid bodloni ar geisio astudio'r hyn sy'n weddill ac ymfalchïo yng ngheidwadrwydd y gwladwr o Gymro yn dal at yr hyn a feddai. Byddem yn dra diolchgar am unrhyw wybodaeth bellach a ddarperir gan y darllenydd parthed darnau nas gwelwyd yn y llyfryn ynghyd â'r bobl a'u gwnaeth, gan fawr hyderu y bydd y cyfan o fudd i astudiaeth bellach a manylach o'r pwnc.

Afterword

The sheer variety of dressers produced in Wales and the specialization of their decoration and form must have contributed greatly to the linking of the country's name with the dresser. Handles and knobs were often replaced by later, more modern examples as fashions changed or the metal or wood became fragile and wore away and this led to much confusion as to date and provenance among collectors.

Hundreds of dressers and cupboards remain in private hands throughout Wales despite the fact that they have been widely collected during the second half of the present century. An unknown quantity have been exported to all parts of the world to be lost sight of forever. However, one must be grateful that a good number have survived in the homes of conservative Welsh people and that there are sufficient variations in existence to ascertain a number of the regional variations. More information is sought and if the reader knows of any further regional types that are not recorded in this booklet or of actual makers of dressers or cupboards, we should be glad to hear from them since it will lead to a further more definitive treatment of the subject.

Llyfryddiaeth

L. Twiston-Davies & H. J. Lloyd-Johnes, *Welsh Furniture,* Cardiff, 1950.

Ralph Edwards & Percy McQuoid, *The Dictionary of English Furniture,* London, 1925.

Victor Chinnery, *Oak Furniture : The British Tradition,* Antique Collectors Club, 1975.

Bibliography

L. Twiston-Davies & H. J. Lloyd-Johnes, *Welsh Furniture,* Cardiff, 1950.

Ralph Edwards & Percy McQuoid, *The Dictionary of English Furniture,* London, 1925.

Victor Chinnery, *Oak Furniture. The British Tradition.* Antique Collectors' Club, 1975.

Diolchiadau

Hoffem ddiolch yn arbennig i'r cyfeillion amrywiol am ddarparu lluniau ar gyfer y llyfryn hwn neu am ganiatàu i'w heiddo gael eu darlunio yn y llyfryn : Mr a Mrs John E. Parry, Mr a Mrs John Trefor, Mr Philip Davies a Miss M. O. Davies, Mr a Mrs Gareth Morgan; a staff Amgueddfa Caerfyrddin.

Tynnwyd lluniau o'r casgliad cenedlaethol gan genedlaethau o'm cyd-weithwyr ond hoffwn yn arbennig ddiolch i Michael J. Isaac am ei waith yn ystod y ddwy flynedd ddiwethaf. Y mae'n dyled yn fawr, yn ogystal i gyd-weithiwr arall, Owain Tudur Jones a ddyluniodd yr wyth ffigwr pin ac inc ar gyfer y cyhoeddiad hwn.

Acknowledgements

We should like to acknowledge the assistance of the following in either providing photographs of their possessions or allowing us to photograph them in their homes : Mr and Mrs John E. Parry; Mr and Mrs John Trefor; Mr Philip Davies and Miss M. O. Davies; Mr and Mrs Gareth Morgan; and the staff of Carmarthen Museum.

Photographs from the national collection were taken by generations of colleagues but particular thanks are due to Michael J. Isaac for his work during recent years. Special thanks are also due to another colleague Owain Tudur Jones, the draughtsman who provided the eight pen-and-ink drawings of dressers and cupboards.